J'HAÏS LES BÉBÉS

FRANÇOIS BARCELO

J'HAÏS LES BÉBÉS

ROMAN

Nous remercions le Conseil des Arts du Canada de l'aide accordée à notre programme de publication, et la SODEC pour son appui financier en vertu du Programme d'aide aux entreprises du livre et de l'édition spécialisée.

Nous reconnaissons l'aide financière du gouvernement du Canada par l'entremise du Programme d'aide au développement de l'industrie de l'édition (PADIÉ) pour nos activités d'édition.

Gouvernement du Québec — Programme de crédits d'impôt pour l'édition de livres — Gestion SODEC

Conception graphique de la couverture : Marc-Antoine Rousseau
Conception typographique : Nicolas Calvé
Mise en page : Marie Blanchard
Révision linguistique : Fleur Neesham
Correction d'épreuves : Pierre-Yves Villeneuve

Dépôt légal — 2e trimestre 2012
Bibliothèque et Archives nationales du Québec
Bibliothèque et Archives Canada

ISBN 978-2-89671-069-0

Imprimé au Canada sur les presses de Transcontinental Métrolitho.

Catalogage avant publication de Bibliothèque et Archives nationales du Québec et Bibliothèque et Archives Canada

Barcelo, François, 1941-

    J'haïs les bébés
    ISBN 978-2-89671-069-0

I. Titre.

PS8553.A761J45 2012   C843'.54   C2012-940448-9
PS9553.A761J45 2012

1

J'HAÏS LES BÉBÉS.

Ça n'a rien d'original. Même si personne n'ose l'avouer, tout le monde les déteste, surtout quiconque a déjà pris l'avion.

Qu'on aille en République dominicaine, en France ou ailleurs, il paraît que ça arrive sur presque tous les vols.

Avant même le décollage, un bébé (ou deux ou même trois, si on manque vraiment de chance ce jour-là) se met à pleurer parce qu'on ne lui a pas demandé s'il avait envie d'être enfermé pendant des heures avec des centaines d'adultes qui n'ont qu'un désir : arriver sans encombre à destination, de préférence à moitié ou totalement bourré.

On suppose que le petit braillard va se calmer dès qu'il sera bercé par le ronronnement des moteurs.

Eh bien, non! L'avion décolle et les pleurs se transforment en hurlements. Il est inconcevable que ça dure longtemps. Des cordes vocales humaines, surtout à peine rodées comme celles-là, ça n'a pas la résistance de celles d'une meute de hyènes résolues à hurler toute la nuit.

Mais ça dure, malgré les regards hargneux des voisins de cabine et en dépit des conseils prodigués par les hôtesses de l'air, qui n'ont rien à proposer et désirent seulement faire comprendre à la voyageuse désespérée que si elle ne fait pas taire son poupon, on les balancera tous les deux au-dessus de l'île la plus proche.

De temps en temps, les cris s'interrompent. Pendant quelques secondes, les passagers et le personnel de bord se mettent à espérer que le poupon soit enfin endormi ou, mieux, décédé. Mais ça recommence une minute plus tard, avec une vigueur renouvelée. Et tout le monde est alors plongé dans un désespoir plus profond encore que si le petit monstre s'était contenté de pleurer sans arrêt.

Les berceuses, biberons, biscuits durs et autres gâteries ne mettent pas fin à ce concert.

En classe affaires, on a distribué des bouchons pour les oreilles. Une voix de femme profite d'un moment d'accalmie pour expliquer aux passagers de classe économique qu'il n'y en a malheureusement pas pour tout le monde. Deux minutes plus tard, après avoir été assailli par des passagers réclamant qu'on vende aux enchères les bouchons restants, le chef de cabine vient annoncer au micro qu'il n'en reste plus. La preuve : même lui n'en a qu'un.

Le pilote ou le copilote – en tout cas, un type en uniforme avec des cheveux gris, des bouchons dans les oreilles et une casquette de capitaine sur la tête – vient ajouter son grain de sel. Il caresse la joue du poupon, adresse des sourires crispés à la maman, demande l'âge de son rejeton, puis retourne à une tâche plus appropriée à ses compétences. Le commandant s'adresse ensuite à ses passagers pour demander – dans toutes les langues dont il a quelques notions – si quelqu'un dans l'avion a des connaissances en pédiatrie. « Pas nécessaire d'être médecin ou infirmière, précise-t-il en adoptant le ton hyper paternaliste des hommes qui n'ont jamais eu d'enfant. Il suffit d'avoir une idée de comment faire taire un bébé quand sa mère est trop tarte pour y parvenir. »

Personne ne s'avance, bien entendu, parce que cela exigerait de rapprocher ses oreilles de la source du vacarme.

Après l'atterrissage à Puerto Plata (ou Katmandou ou Paris, peu importe) et avant même qu'on ait fait sortir les première classe, l'hôtesse la plus âgée, probablement la plus dure d'oreille, à moins qu'elle ait perdu à la courte paille, prend la mère par le bras et la conduit, avec son bébé, jusqu'au guichet de l'immigration, où un agent se hâte de tamponner le passeport et le visa sans un coup d'œil pour la mère et le petit.

On les fait monter dans le car de leur hôtel tout inclus. Les autres passagers préfèrent attendre le deuxième tour de la navette. Et la voyageuse apprendra par la suite que plusieurs touristes ont tout simplement réclamé un changement d'hôtel, heureusement possible puisque c'est la saison morte, les mères avec bébé préférant voyager hors-saison – c'est moins cher et les avions devraient être moins pleins, même si dans les faits il n'y a jamais une place libre.

Quiconque a voyagé dans cet avion, ou un semblable, se hâte, de retour à la maison, de signer la pétition Internet exigeant que les bébés voyagent désormais dans des vols spéciaux, mieux adaptés à leurs besoins.

Je suis la mère dont je viens de raconter la mésaventure, qui remonte à vingt-sept ans déjà. Moi aussi, j'ai signé la pétition, l'an dernier, dès que j'ai entendu parler de son existence. Je n'ai pas vraiment envie de vols spéciaux pour les bébés, mais plutôt qu'on interdise les bébés dans les avions au cas où j'aurais à en prendre un éventuellement.

Oui, j'haïs les bébés et je suis prête à faire une faute de français pour le dire. Même les miens, parce que j'en ai eu un deuxième, pas plus désiré que le premier. Et je n'ai plus jamais repris l'avion avec un bébé, et à plus forte raison avec deux.

Cela explique en partie que je passe les Fêtes de Noël en Gaspésie, cette année. On peut s'y rendre en voiture. Et si on prend la précaution supplémentaire de voyager sans bébé, on n'entend personne pleurer.

Je suis au bar du Relais Point du jour, à Percé, où je loge pour une semaine dans une cabane de bois rond. Il est presque onze heures du soir, le 24 décembre, et je suis la seule cliente. La vingtaine de Français attendus avec leurs motoneiges sont retardés par la panne d'une de leurs machines. Et tant que toutes les motoneiges ne seront pas en état de rouler, ils ne bougeront pas. Au restaurant, le souper a été annulé parce que j'aurais été la seule cliente, mais je n'ai pas faim après avoir avalé deux Pop-Tarts à la cannelle.

La barmaid s'appelle Mylène. Elle est aussi la fille de la réception, qui est judicieusement aménagée juste à côté du bar, ce qui lui permet d'occuper simultanément ses deux fonctions. Elle m'a expliqué que si les Français arrivent au milieu de la nuit, ils s'installeront tout seuls.

— Stéphane leur montre quoi faire. Stéphane, c'est l'accompagnateur. Un maudit beau gars, mais il est déjà marié.

Je commande un autre Southern Comfort en agitant un doigt au-dessus de mon verre. Je sens que Mylène préférerait que je m'arrête là. Ça lui permettrait de rentrer chez elle pour fêter avec son petit copain, si elle en a un. Mais je n'ai pas envie de lui accorder ce plaisir, parce que je déteste les barmaids presque autant que les bébés. Mon premier mari en raffolait, même si c'est plutôt une enseignante qu'il a épousée. Une enseignante, c'est fait pour le mariage ; une barmaid, c'est pour le lit, après la fermeture du bar.

Mais je ne déteste pas les barmaids au point de me priver d'alcool. C'est la veille de Noël. Un réveillon au Southern Comfort, ça ne vaut pas le champagne, mais c'est mieux que rien.

— Je peux vous vendre le reste de la bouteille, propose Mylène en jetant un coup d'œil à l'antique horloge de la bière Dow, dont les aiguilles affichent onze heures cinq.

Comme je ne réagis pas, elle fait un effort supplémentaire :

— Tiens, je vous la donne. La bouteille est presque vide, pis Rodrigue en saura jamais rien.

Rodrigue Bujold est le propriétaire du Point du jour. Un très ancien amoureux à moi, pendant deux moitiés de nuits. Comme je ne saisis pas la bouteille pour m'enfuir dans ma cabane, Mylène la remet à sa place sur un rayon derrière elle et se résigne à se renseigner sur ma petite personne.

— Vous avez pas d'enfant ? demande-t-elle parce qu'il lui semble qu'une femme seule dans un bar la veille de Noël ne doit pas en avoir, sinon elle fêterait avec eux.

— J'en ai déjà eu, mais ils sont grands, maintenant.

Cela n'explique aucunement que je ne sois pas avec eux. J'aurais plutôt envie de parler de ma détestation des bébés, des maris et des barmaids, mais ce n'est pas un sujet de conversation de veille de Noël, surtout avec une fille comme elle. J'ajoute plutôt :

— Même que je suis grand-mère, maintenant.

J'aurais aimé que Mylène proteste que je ne fais pas mon âge ou que j'ai dû me marier bien jeune. Il me semble que c'est le genre de remarque incontournable pour une fille qui espère un pour-boire. Je lui donne une chance de se reprendre, en ajoutant, après un nouveau coup d'œil à l'horloge :

— Peut-être deux fois, à l'heure qu'il est.

Elle lève un sourcil interrogateur, intriguée par mon incertitude quant au nombre de mes petits-enfants. J'explique :

— C'est parce que ma fille doit accoucher ces jours-ci.

— Un gars ou une fille ?

— Je sais pas.

— Pourtant, ils peuvent le dire, maintenant. Ils voient tout sur une petite télévision : le petit zizi ou la petite pelote.

Je hausse les épaules. Véronique m'a-t-elle dit si ce sera un garçon ou une fille ? Si oui, j'ai oublié, parce que je m'en fiche. Ma détestation des bébés ne fait, comme pour les adultes, aucune distinction de sexe, de race ou de religion.

— On dirait que vous lui parlez pas tellement souvent, à votre fille.

Mylène a deviné juste. On ne se parle jamais, depuis que je suis sortie de Là-bas. À part mon coup de fil, avant-hier, pour lui annoncer que je partais en République dominicaine, ça fait plus d'un an qu'on n'a pas eu une véritable conversation. Je ne peux quand même pas considérer comme tel le message laissé sur ma boîte vocale m'annonçant en septembre qu'elle était enceinte et pensait le garder. Oui, aussi bref que ça : « Je suis enceinte, je devrais accoucher aux alentours de Noël, pis je vas le garder. » Plus j'y pense, plus je suis sûre qu'elle n'a pas précisé si ce serait un gars ou une fille.

— On se parle de temps en temps, mais seulement par boîte vocale. On est très occupées, toutes les deux.

Je mens : je ne travaille pas du tout. Je doute qu'un employeur voudrait de moi. Ou de Véro.

— Où c'est qu'elle va accoucher ?

— Comment je le saurais ? dis-je avec un trait de mauvaise humeur qui devrait lui faire comprendre de changer de sujet : le hockey, la neige, les touristes, le NPD, n'importe quoi, mais pas les bébés.

Si elle a compris, elle choisit plutôt de se taire. Deux minutes plus tard, c'est moi qui brise le silence :

— Sais-tu, je pense que je vais prendre la bouteille, si ton offre tient toujours.

Mylène est ravie. Elle va m'attendre à la porte, qu'elle se hâte de verrouiller derrière elle dès que nous sommes sortis, le Southern Comfort et moi.

Elle a tout éteint, et il fait encore plus noir que froid. Tandis qu'elle se hâte vers sa Honda garée à côté de ma Lada empruntée, je marche dans le petit sentier vaguement déneigé et aussi vaguement éclairé par l'ampoule au-dessus de la porte de la cabane 34, la mienne pour une semaine.

C'est la dernière au bout de la rangée. La seule avec vue sur le rocher Percé. Mais c'est une vue sans trou. Je veux dire qu'on voit le rocher, mais pas le trou qui lui vaut son nom. Sans ce fameux trou, il y aurait beaucoup moins de touristes à Percé, même en été. D'ici, le rocher est à un angle qui fait qu'on ne voit pas le trou. En plus, on le verrait de trop loin si on le voyait. Ça n'empêche pas Rodrigue Bujold de mettre dans ses annonces des journaux de Montréal : « vue imprenable sur le rocher Percé ».

Dans le temps, il m'a expliqué que son père avait eu le choix quand il a décidé de se construire un motel. Il s'est fait offrir deux terrains : un avec vue sur le trou et un autre, sans. Il a pris le sans trou parce qu'il coûtait deux fois moins cher : dix mille dollars au lieu de vingt-deux. Rodrigue disait déjà, quand je l'ai connu : « Tu te rends-tu compte, pour juste douze mille piastres de plus, je serais le fils d'un millionnaire. » Et sûrement multimillionnaire lui-même aujourd'hui.

J'enlève mes bottes, j'ouvre la boîte à bois et je jette une bûche de bouleau dans la cheminée. Il restait assez de braise pour qu'elle flambe aussitôt. Je dépose mon manteau sur le lit et je m'assois dans un des deux fauteuils fatigués, face au feu.

La cabane n'a aucune espèce de luxe, à part ce vrai foyer encadré d'une mauvaise imitation de pierres des champs. Un lit à deux places, une armoire en faux bois, une petite table avec deux chaises raides, une bibliothèque avec un rayon garni de livres abandonnés par des voyageurs. Pas seulement en français : en anglais aussi, et deux avec des drôles d'accents sur les lettres, probablement scandinaves. Un coin cuisinette avec un évier, un réchaud électrique à deux ronds, un grille-pain, un four à micro-ondes et un demi-réfrigérateur vide et pas froid. Une porte donne sur l'extérieur et une autre sur la petite salle de bains avec douche, sans baignoire. À côté du foyer, il y a au mur une photo couleur jaunie du rocher Percé, qu'on voit aussi directement, le jour, par la fenêtre qui a été judicieusement placée de façon à ce qu'on puisse comparer la copie et l'original. La copie est bien mieux, parce qu'au moins on y voit le trou.

Où est-ce que j'ai laissé le Southern Comfort? Dans la poche de mon manteau. Je le finis, à même la bouteille. Et je me couche en espérant ne pas faire de mauvais rêve.

Pas de chance : j'en fais un, rempli de cris de bébés. Je suis dans un avion, apparemment la seule adulte, avec deux ou trois cents bébés solidement attachés sur leurs sièges. Ils hurlent. À la mort, parce que l'avion plonge indiscutablement vers le sol ou vers l'océan. Les masques à oxygène tombent et se mettent à se balancer au nez des bébés qui essaient de les attraper comme s'il s'agissait de hochets qu'on agite au-dessus de leur berceau. Ils en sont incapables. Il n'y a qu'une personne qui pourrait aller les placer sur leur nez, avec l'élastique derrière la tête, comme le montrent les agents de bord après le décollage. Cette personne, c'est moi, le seul adulte dans l'appareil. Le pilote et le copilote ont dû mourir d'une crise cardiaque synchronisée, ce qui est parfaitement plausible dans les cauchemars. Je dois, comme le recommande la consigne, mettre mon masque la première avant de m'occuper des autres. Je lève la main. Et je découvre que je n'en ai

pas, de masque. Il faut que je change de siège. Mais
ma ceinture me retient. Les bébés hurlent plus fort
que jamais.

— Vos gueules, câlice!

Je me réveille, soulagée. Mais les hurlements de
bébé ne s'arrêtent pas. J'allume. Non, il n'y a pas de
bébé dans la pièce. Cela vient d'une autre cabane. Et
il faut que ce bébé ait de sacrés bons poumons pour
qu'on l'entende à travers deux murs de bois rond.

On dirait que les motoneigistes sont arrivés. Il
y en a un (probablement une; Mylène m'a dit que
les trois quarts sont des hommes, mais ça fait quand
même quelques femmes s'ils sont une vingtaine)
qui voyage avec son bébé. Ou ses bébés, d'après le
volume des cris que j'entends. Y a-t-il des Françaises
assez folles pour partir en expédition de motoneige
avec un, deux ou trois bébés? Il y en a au moins une,
on dirait.

Je vais jeter un coup d'œil par la fenêtre de la salle
de bains. Le lampadaire du stationnement est maintenant allumé. Oui, je distingue quelques motoneiges. Difficile de dire combien. Probablement
vingt. Toutes du même modèle, pour éviter de faire
des jaloux. Ou parce que le pourvoyeur a un meilleur prix s'il les achète à la douzaine. Pas de lumière
dans les fenêtres des cabanes que je peux apercevoir
d'ici. La mère ou les mères sont trop crevées par
leur journée dans nos grands espaces pour entendre
les vagissements de leur progéniture. Ou elles ont
décidé de la laisser pleurer jusqu'à ce que la mort –
la leur ou celle de l'enfant – s'ensuive.

Je devrais m'habiller et aller frapper à la porte de la cabane d'où provient le tintamarre et exiger qu'on y mette fin. Mais je sais que cela ne servirait à rien. Qu'est-ce que vous voulez qu'une mère fasse quand son petit pleure sans raison, que ce soit dans un Boeing ou dans une cabane au Canada? Qu'elle l'étrangle, évidemment, mais elle ne peut pas si des gens risquent de savoir que c'est elle qui l'a fait. Vous pouvez assassiner n'importe qui, et tout le monde vous cherchera des circonstances atténuantes. Sauf s'il s'agit d'un bébé. Surtout si c'est le vôtre. Et à plus forte raison si vous avez le malheur d'être la mère, pas le père.

J'essaie de me rendormir. Et j'y arrive sans peine grâce au Southern Comfort, et malgré que je n'aie plus de pilules, parce qu'en rouvrant les yeux je constate qu'il fait presque jour. En tout cas, le ciel a suffisamment pâli pour que je croie qu'il est dans les cinq ou six heures du matin. Ou sept ou huit, parce qu'on est aux jours les plus courts de l'année.

Les bébés pleurent toujours. La mère serait-elle morte? Une mère peut-elle décéder à force d'entendre son bébé crier? Si oui, ça me serait arrivé depuis longtemps.

Je vais à la porte. Je l'entrouvre. Tiens, quelqu'un m'a laissé un panier à pique-nique. C'est bien gentil, mais je n'ai aucune intention de pique-niquer. Déjà que je déteste les pique-niques l'été, c'est facile de deviner ce que j'en pense l'hiver. Ça doit être l'accompagnateur – il me semble qu'il s'appelle

Stéphane – qui est venu mettre un panier de lunch devant toutes les portes des cabanes occupées. Et cette conne de Mylène a oublié de lui dire que la 34 est louée à une non-motoneigiste. Ou c'est elle qui a simplement choisi de me donner ce panier pour me faire comprendre que le restaurant est fermé aujourd'hui. Elle m'a dit que le bar le serait, mais pas un mot sur la salle à manger, que j'avais crue nécessairement fermée, puisque la bouffe rapporte beaucoup moins que l'alcool.

Je n'ai même pas le temps de me demander si je vais mettre mes bottes et mon manteau pour aller porter le panier à la réception (ouverte ou fermée, peu importe), parce que l'évidence me saute aux oreilles : sous la nappe à carreaux rouges et blancs de ce panier, il y a un bébé qui pleure. Probablement un seul. Celui qui a pleuré toute la nuit.

J'ai dormi en petite culotte et je vais crever de froid si je ne ferme pas la porte. Je la claque derrière moi.

Qu'est-ce que ce bébé fait là ? Je n'en sais rien et je m'en fiche. Quelqu'un a dû se tromper de porte. Je devrais aller porter le panier devant la 33, la plus proche. Mieux : la 1, la plus éloignée.

Non, je ne m'en mêlerai pas. Si quelqu'un, plus probablement quelqu'une, est assez fou ou folle pour abandonner son bébé devant la porte de la femme qui déteste le plus les bébés sur cette planète, ce n'est pas de mes affaires.

Je retourne sous mes couvertures. C'est ce moment que choisit le bébé pour cesser de pleurer.

Je n'aime pas les bébés, en aucune circonstance. Mais je dois reconnaître que je les déteste moins quand ils ne pleurent pas. Surtout que celui-là est peut-être sur le point de mourir de froid. Et quand quelqu'un va trouver ce bébé décédé devant ma porte, la police va venir m'interroger, me demander comment j'ai pu passer la nuit à dormir avec un bébé qui pleurait si près de ma cabane. Ils voudront voir mon permis de conduire alors que je ne l'ai pas renouvelé depuis plus de vingt ans. Ils vont me demander mon nom. Et je ne pourrai pas en donner un faux, parce que Rodrigue avait réservé la cabane au nom de Viviane Montour.

De toute façon, j'ai assez dormi. Aussi bien me lever. Je vais faire comme si de rien n'était. Quelqu'un va sûrement venir chercher ce bébé, que ce soit la mère qui l'a oublié là ou quelqu'un d'autre. Je réchauffe deux Pop-Tarts à la cassonade dans le grille-pain et je les mâchonne tranquillement, en me demandant ce que je pourrais faire d'autre.

Aller porter le panier devant la porte d'une cabane voisine? Je vais laisser des traces dans la neige. Et si ce n'est pas la cabane de la mère, on va me soupçonner d'être celle qui l'a abandonné.

Le bébé ne pleure toujours pas. S'il est mort de froid, je n'y peux rien. Par contre, si c'est parce qu'il est en train de geler mais pas encore mort, c'est embêtant.

J'ai beau haïr les bébés, je ne leur en veux pas à mort. La preuve: je n'en ai jamais tué. J'en ai souvent eu envie, mais je ne l'ai jamais fait. Je ne me suis même jamais fait avorter – ça a seulement passé proche. Est-ce que j'irais jusqu'à plonger dans une rivière pour sauver un bébé qui se noie ? Sûrement pas, je nage plutôt mal. Mais est-ce que j'étendrais la main pour empêcher un bambin de traverser la rue en plein trafic ? Peut-être. Et même probablement, si je ne le connais pas.

La question qui se pose maintenant, c'est, plus précisément : est-ce que je vais m'occuper d'un panier contenant un bébé que je ne connais ni d'Ève ni d'Adam, pour l'empêcher de mourir de froid ?

La réponse, à mon plus grand regret, est oui.

J'ouvre la porte et je tente de crier : « C'est à qui, le bébé ? »

Je me souviens aussitôt de la raison pour laquelle j'ai cessé, il y a plus de trente ans, de boire du Southern Comfort, boisson préférée de mon premier mari : ça me donne une laryngite automatique. Pas la bière, ni le vin de toutes les couleurs, ni la vodka, ni le scotch. Seulement le Southern Comfort. Un médecin m'a dit que je devais être allergique à une des herbes utilisées pour concocter cette boisson, mais que le ministère de la Santé n'avait ni les moyens ni l'envie d'identifier laquelle.

En tout cas, je me retrouve quasiment aphone, ce matin. Si ça n'a pas changé depuis le temps, j'en ai pour trois jours avant que ma voix revienne. Ça tombe bien, je n'ai personne à qui parler.

Voilà. C'est triste à dire, mais c'est fait : le panier à pique-nique est posé sur mon lit. Et le bébé ne pleure toujours pas (sinon, je ne l'aurais pas rentré ou je l'aurais remis dehors).

Est-il mort? C'est fort possible, sinon probable. Qu'est-ce que je fais? En tout cas, il faut que j'évite les emmerdements. Rien ne m'emmerde autant que les emmerdements.

Je devrais téléphoner à la police. Pour ça, il faut que j'aille à la réception du motel. Il n'y a pas le téléphone dans les cabanes. D'après Mylène, c'est inutile, maintenant que tout le monde (sauf moi) a un cellulaire et que le Point du jour a le wi-fi gratuit. Elle n'est pas là, mais la porte n'est peut-être pas fermée à clé. Sinon, je peux aller au village, chercher une cabine téléphonique qui fonctionne. Il faudra que je fasse le 9-1-1, que je dise que j'ai trouvé un panier à pique-nique avec un bébé dedans. «Mort ou vivant, le bébé?» vont-ils sûrement me demander. Je ne peux pas répondre que je n'en sais rien. Une personne normale qui trouve un bébé dans un panier vérifie au moins ça avant d'appeler la police.

Je vais donc faire semblant d'être une personne normale.

Je soulève la nappe à carreaux. Je ne vois pas de bébé: seulement des vêtements. Des jaunes, du genre qu'on achète quand on ne sait pas si on va avoir une fille ou un garçon.

Il y a un foulard sur le dessus. Je le soulève. Il y a un visage en dessous. De bébé, bien sûr. Tout petit. Un, deux jours, guère plus. Une face ridée et rougeaude de poupon naissant. Pas plus qu'un jour, je dirais, à bien le regarder. Peut-être même qu'il est prématuré.

Il y a aussi une enveloppe, du format des cartes de Noël à l'époque où tout le monde en échangeait. Sauf moi, même quand j'en recevais Là-bas. Il aurait fallu que je trouve une façon originale et sincère de souhaiter « Joyeux Noël ». Je n'en connaissais pas. Et je n'avais envie de le souhaiter à personne.

Je l'ouvre ou pas, l'enveloppe? Quand la police va m'interroger, est-ce que je vais avoir l'air plus normale si je dis que je l'ai ouverte, ou laissée fermée? Ouverte, je dirais. Oui, on ouvre l'enveloppe avant d'appeler la police. Sauf dans les cas de suicide. À moins que l'enveloppe ne soit pas cachetée et qu'on puisse l'ouvrir sans que personne le sache.

La mienne l'est, mais je l'ouvre quand même. Pas de surprise: une carte avec l'image d'un sapin de Noël. À l'intérieur, sous « Joyeux Noël » imprimé dans des caractères de fantaisie, une note écrite en lettres moulées:

« PRAND SOIN DE MOI, GRAND-MAMAND. »

Ce n'est pas signé, mais c'est tout comme.

2

Si je suis venue passer Noël en Gaspésie, ce n'est pas seulement parce qu'on peut s'y rendre en voiture. C'est à cause de mon fils Alexandre, le bébé qui m'avait accompagnée à Puerto Plata. Il a maintenant vingt-huit ans et un fils qui fêtera son troisième anniversaire dans quelques mois, mais je ne sais pas quand exactement. À moins que ce soit son deuxième. C'est un bébé que bien des gens trouveraient sans doute charmant, mais qui a le pire défaut que puisse avoir un bébé : être un bébé.

La semaine dernière, lors d'une de nos conversations mensuelles, Alexandre m'a dit au téléphone que la garderie de Jonathan fermait pour les vacances de Noël. Il a sans doute dit ça parce qu'il n'avait rien d'autre à dire. Moi, tout de suite, j'ai cru le voir venir : il allait me demander si je pouvais garder le petit, les jours où lui et sa femme Isabelle iraient travailler. Et il allait sûrement ajouter : « À part ça, tu serais bien mieux chez nous, avec la télévision haute définition. »

J'aurais pu être tentée. Depuis que je suis sortie de Là-bas, je loge dans un studio misérable, sans télé. Heureusement, j'ai eu la présence d'esprit d'annoncer sans hésiter que j'avais acheté un forfait non remboursable de deux semaines à Puerto Plata.

Alexandre m'a demandé où j'avais pris l'argent. J'aurais dû répondre que ce n'était pas de ses affaires, ou prétendre que j'avais gagné cinq mille dollars à la 6-49. Je lui ai plutôt dit que je venais de recevoir mon premier chèque de pension d'invalidité. (Ce n'est pas tout à fait vrai : j'ai fait la demande, et on m'a dit que je devrais avoir la réponse d'ici quelques semaines ou quelques mois.)

Il y a eu un silence embarrassé. Il découvrait avec stupeur que les malades mentaux – ou quiconque fait semblant de l'être – peuvent toucher une pension d'invalidité. Il est sûrement convaincu qu'on ne devrait donner ce genre d'aide qu'aux culs-de-jatte manchots affligés d'un cancer en phase terminale. En tout cas, pas aux femmes qui ont tué leur mari, même si le mien n'était pas son père à lui – seulement son beau-père et pas depuis longtemps.

Il n'est pas complètement stupide, mon fils. Il a vite compris que j'avais imaginé qu'il me voulait comme gardienne. Il s'est hâté d'ajouter : « De toute façon, on a une femme de ménage. C'est elle qui va garder Jonathan quand on sera au travail. » J'ai compris pour ma part, et un peu tard, que j'étais la dernière personne à laquelle il aurait confié son héritier.

Après cette conversation, je ne pouvais plus rester chez moi pour les Fêtes. Alexandre est le genre de garçon à vérifier si sa mère lui a dit la vérité en allant sonner à sa porte tous les jours.

J'ai tout de suite pensé au Relais Point du jour, à Percé, où j'ai travaillé trois étés, de seize à dix-huit ans, pour payer le début de mes études de future enseignante. Je faisais les chambres, le service aux tables dans la salle à manger, et la cuisine quand le cuisinier était trop saoul pour réussir un hamburger steak.

Je me suis dit que ce serait tranquille, l'hiver, même à Noël. Mais je me suis surtout rappelé le rabais de cinquante pour cent que m'avait promis « pour la vie » Rodrigue Bujold, quand je lui ai fait don de ma virginité alors qu'il n'avait que seize ans lui aussi, était puceau comme moi et n'avait aucune raison de douter qu'il hériterait tôt ou tard de l'hôtel de son père.

Quand je lui ai téléphoné, avant-hier, il s'est souvenu de moi. À cause de nos deux demi-nuits d'amour ou parce que j'ai fait plus souvent qu'à mon tour la première page des journaux, dans le temps? Peu importe. Je lui ai demandé s'il se rappelait sa promesse. Il a commencé par faire semblant de ne pas comprendre de quoi je parlais. J'ai dû insister :

— Je sais que tu sais ce qui m'est arrivé, mais ça change rien. Une promesse, c'est une promesse.

— Mais quelle promesse?

— Que je pourrais loger gratis quand je voudrais.

Il a mordu. C'est bien, parfois, les hommes qui oublient leurs promesses : on peut les améliorer sans qu'ils s'en aperçoivent.

— Quand est-ce que tu viendrais ?

— Je devrais être là après-demain. Jusqu'au 2 ou 3 janvier.

— Attends un peu que je regarde ça.

Je l'ai entendu parler avec une femme, ce devait être Mylène. Puis il m'est revenu.

— Je peux te donner un bungalow. Le 34. Tu te rappelles ? C'est celui qui est à côté de la falaise. Personne en veut parce qu'il est trop loin du stationnement. Mais tu vas avoir une belle vue sur le rocher. Moi, je pars à Cuba avec les enfants. Je suis bien obligé : je peux rien que les emmener pendant les congés des Fêtes. Mais Mylène est là, elle va t'arranger ça.

Mes espoirs de renouer avec lui se sont envolés. Je m'étais dit qu'à cinquante-huit ans il pouvait être encore bel homme. J'ai préféré imaginer qu'il avait bu une caisse de bière par jour pendant quarante ans et fumé encore plus qu'il buvait.

J'avais une autre raison de dire à mes enfants que je partais en République dominicaine : l'accouchement imminent de ma fille Véronique, vingt-deux ans, pas mariée et abandonnée par le prétendu père de son futur bébé, qu'elle a décidé de garder malgré mes mises en garde – non seulement au sujet des bébés, mais aussi sur le fait que les bébés ne s'améliorent pas avec l'âge. Ils deviennent des ados, puis des adultes et éventuellement des petits vieux. J'ai beau haïr les bébés, je pense que je les déteste surtout par anticipation. Pour ce qu'ils vont devenir.

Je m'étais presque résignée à aider Véronique à passer à travers ce moment difficile, surtout pour une junkie qui s'efforce de se débarrasser de ses vilaines habitudes même si elle sait qu'elle n'y arrivera jamais parce que, dans le fond, elle n'en a pas du tout envie. Mais comme j'avais annoncé à Alexandre que je partais pour les Fêtes, j'ai bien été obligée de servir à sa demi-sœur le même mensonge, qui m'arrangeait de toute façon, parce que les accouchements se terminent à mon avis toujours mal, sauf dans le cas d'un bébé mort-né. J'ai juste ajouté, pour la rassurer, que je partais avec un type très comme il faut, que je le lui présenterais un jour si ça continuait à aller bien comme ça entre nous deux. Pour faire plus vrai, je lui ai demandé de ne pas en parler à son frère.

Véronique n'a pas réagi, parce que je parlais à sa boîte vocale. Mais elle aurait approuvé : elle m'a souvent encouragée à « refaire ma vie » quand je sortirais de Là-bas. Ce dont je n'ai aucunement l'intention. Les hommes ayant l'âge de procréer sont, après les bébés, les êtres humains que je déteste le plus. Si vous voulez la liste complète, je n'ai plus qu'à ajouter tous les hommes sans distinction d'âge, de sexe ou de religion. Et toutes les femmes, avec les mêmes exceptions, c'est-à-dire aucune.

J'ai demandé à Francine, ma voisine de palier, récupératrice de bouteilles et de canettes consignées,

de me prêter sa Lada pour une semaine. Elle en est
très fière. C'est peut-être la dernière Lada encore en
état de marche au Canada. Heureusement, la météo
annonçait une tempête de neige pour le lendemain
soir. Francine n'a pas de garage et c'est l'enfer de
chercher où garer sa voiture tant que le déneige-
ment ne sera pas terminé, donc pas avant l'année
prochaine. Et comme il ne se passe pas une semaine
sans qu'on se querelle au moins sept fois, elle est
sûrement contente de passer les Fêtes tranquille. Elle
a mis une seule condition :

— Si tu me promets de prendre tes pilules.

Une deuxième, tant qu'à faire :

— Pis si tu as ton permis de conduire. Pis tu me
rapportes le réservoir bien plein, pas juste à moitié.

J'ai juré pour les trois.

À Rimouski, j'ai couché sur la banquette arrière
de la Lada, garée près d'une station-service. Il faisait
froid. J'ai pris deux cachets supplémentaires dans la
colonne « Soir » de mon pilulier. J'ai dormi comme
un ange. Au matin, j'ai arrêté la Lada devant les
pompes à essence, pour remercier Petro-Canada de
son hospitalité.

Je devais aussi prendre mes trois premières
pilules de la journée. J'ai ressorti mon pilulier. Il
n'y avait pas une case libre : ni « Matin », « Midi »,
« Soir », « Nuit » ou « Au besoin ». Toutes les cases
de tous les jours de la semaine étaient pleines de
pilules de toutes les couleurs d'une peinture à
numéros. Il m'arrive de temps en temps de trouver

que ma vie serait bien meilleure si je cessais de prendre mes médicaments. Je ne suis pas malade du tout, et je ne les prends que pour faire plaisir aux médecins qui me surveillent comme des policiers à qui on a confié un tueur en série. Ils peuvent probablement savoir par mes analyses d'urine ce que je prends ou ne prends pas. Mais il m'a semblé tout à coup particulièrement judicieux de m'en passer si je conduisais une voiture, même une Lada déglinguée dont je ne suis pas la propriétaire. Les médicaments causent probablement plus d'accidents que l'alcool. Sauf dans le temps des Fêtes, mais les médicaments, c'est toute l'année.

Il ne restait qu'une question : où me débarrasser de ma collection de pilules ?

Les lancer dans le fleuve, de l'autre côté de la route ? Mon pilulier avait beau être plein, elles ne pouvaient pas faire tant de tort aux marsouins et autres bestioles marines, une fois diluées dans l'eau et partagées entre des milliers d'estomacs. Mais j'ai eu une meilleure idée quand j'ai raccroché le pistolet de la pompe à essence. Pourquoi ne pas les jeter dans le réservoir de la Lada ? Si c'est bon pour les humains déprimés, ça devrait être parfait pour une voiture fatiguée.

Aussitôt dit, aussitôt fait. J'ai ensuite jeté le pilulier vide dans une poubelle. Je suis allée payer au dépanneur et j'en ai profité pour acheter quatre boîtes de Pop-Tarts, ces espèces de pâtisseries industrielles aplaties, qu'on fait réchauffer dans le grille-pain. Même froid, c'est mangeable et ça dépanne.

J'ai repris la route et prêté l'oreille au moteur dans les kilomètres qui ont suivi. Aucune différence. Pour moi non plus, rien de changé.

3

Dans le message de la carte, il n'y a pas de signature, mais un d à «maman». Une faute d'orthographe comme celle-là, ça vaut des empreintes digitales. Parce que je ne connais qu'une fille aussi nulle en orthographe. Ce n'est pas de sa faute ni de la mienne puisque ce n'est pas moi qui l'ai élevée, mais une mère femme de ménage dans une tour au centre-ville de Montréal et un père chauffeur de camion pour une microbrasserie.

Misère! Si c'est ma fille qui a écrit ça, c'est mon petit-fils qui est là! Ou ma petite-fille. C'est l'enfant de ma fille Véronique à qui j'ai dit l'automne dernier – toujours par messagerie téléphonique et en réponse à son message à elle – qu'elle était trop irresponsable pour élever un enfant. La conne, elle m'a crue! Mais elle n'a rien compris : je voulais qu'elle se fasse avorter ou qu'elle donne l'enfant en adoption, pas qu'elle me le refile.

Je dois reconnaître qu'elle n'est pas si stupide. En tout cas, pas au point de croire que je partais pour la République dominicaine. Quand elle a eu seize ans, sa mère adoptive, qui avait plus de cœur que d'instruction, l'a forcée à venir me voir Là-bas deux fois par année. Comme on manquait désespérément de sujets de conversation, elle m'a entendue cent fois jurer que, si jamais je sortais, je ne mettrais plus les pieds dans un avion tant qu'il n'y aurait pas de vols sans bébés. Et je lui ai souvent parlé du Point du jour, où j'avais gagné des sous pour payer mes études. Même que j'ai parlé de l'y emmener, parce que j'aurais un gros rabais si un de mes anciens amoureux en était toujours le propriétaire. Elle n'a dit ni non ni oui. De toute façon, nous avons cessé de nous voir quand elle a eu ses dix-huit ans et ne s'est plus sentie obligée de me rendre visite. Depuis quatre ans, nous ne nous sommes plus parlé qu'au téléphone. Mais le nom du Point du jour n'est pas tombé dans l'oreille d'une sourde.

Je devine comment ça s'est passé. Véronique a eu son bébé – à Montréal ou ailleurs. Puis elle a trouvé quelqu'un avec une voiture pour l'amener ici. Ou elle est venue en autocar. Elle est peut-être arrivée avant moi. Elle est allée à la réception, a demandé si Viviane Montour logeait ici. Mylène lui a dit que j'étais arrivée ou qu'on m'attendait à la cabane 34. La nuit dernière, Véro est venue déposer le panier devant ma porte et est repartie se droguer à Montréal, avec des arrêts à Gaspé, Matane et Dieu sait où l'on peut acheter de quoi fêter dignement l'abandon de son bébé.

Je me hâte de jeter la carte dans le foyer. Je serais folle de garder cette seule preuve que je suis la grand-mère de l'enfant. Elle brûle rapidement sur le lit de braises.

Et maintenant, est-il mort ou vivant, ce petit-fils ou cette petite-fille ?

Il a le nez froid, mais pas dur. Il sent la merde, en tout cas. Mais la merde d'un bébé mort ne sent ni plus ni moins la merde que celle d'un vivant.

Une femme normale laverait-elle un bébé trouvé, mort ou vif, avant d'appeler la police ? Je suppose que oui. De toute façon, je n'ai pas envie de sentir ça jusqu'à l'arrivée des agents. Je jetterai sa couche par la fenêtre et je lui laisserai les fesses nu-tête.

Je sors le petit corps de son panier, je le pose sur le plancher devant la cheminée. S'il n'est qu'un peu gelé, la chaleur ne peut pas lui faire de mal.

Me voilà fière de Véronique pour la première fois de ma vie ! Il y a dans le panier une véritable trousse de survie. Je ne l'aurais jamais imaginée si prévoyante. Trois biberons dont deux pleins, plus deux boîtes de lait en conserve. Un paquet de couches qui ne peuvent être que de la bonne taille. Une boîte de poudre de talc. De l'huile pour bébé. De la gelée de pétrole. Du shampooing « sans larmes ». Une boîte de lingettes. Même du savon doux pour la lessive à la main. Elle a vraiment tout prévu. J'aurais envie de la féliciter si je ne songeais pas qu'on donne probablement aux nouvelles mamans une trousse contenant tous ces trucs à leur sortie de l'hôpital pour faire la promotion des fabricants.

N'empêche que j'ai tout ce qu'il faut pour la toilette de mon petit enfant. Je commence par le déshabiller. Il est dans une espèce d'enveloppe molletonnée, capable de le garder au chaud pendant quelques heures. Combien d'heures a-t-il passées sur le pas de ma porte? Peu importe. Je le sors de son linceul. En dessous, il a une combinaison de bébé, à boutons-pression.

Il n'est pas dur, ce bébé. Pas dur comme un bébé mort de froid. Mais il n'est pas vraiment mou non plus. S'il pleurait, je saurais à quoi m'en tenir. Maintenant que je suis réveillée et que ça ne me dérangerait pas qu'il daigne gazouiller un petit peu, il s'obstine à dormir, sans doute épuisé d'avoir tant pleuré. Ou à être mort. Peut-être devrais-je l'emmitoufler dans une couverture et le porter à la clinique la plus proche s'il y en a une ouverte le jour de Noël. Mais on ne me laissera pas le déposer sans me poser des tas de questions. Ils ont des gardiens de sécurité à la porte partout, maintenant, comme si Al-Qaïda était privée de cibles spectaculaires au point de s'attaquer à un CLSC gaspésien. Ils vont me demander mon permis de conduire. Ils verront que je n'en ai pas et que je conduis une voiture. Si j'invente un autre nom que le mien, ils n'auront qu'à prendre mes empreintes digitales pour savoir qui je suis. Comme j'ai passé l'âge de faire des enfants, il faudra que j'avoue que c'est le bébé de ma fille. Sinon, ils vont m'accuser de l'avoir enlevé. Et le pire qui peut arriver à ce bébé, c'est de retourner vivre avec sa mère. Le pire qui peut m'arriver à moi, c'est qu'on force sa grand-mère à s'en occuper.

J'ai envie de le pincer, pour voir. Ou pour
entendre. Mais je dois d'abord le changer de couche,
ce qui est moins désagréable avec un bébé qui dort
ou qui est mort.

C'est bel et bien un garçon, avec un tout petit
zizi, à peine plus gros que son petit orteil. Je ne vais
pas m'attendrir sur la fragilité, la beauté ou tout
autre attrait d'un nouveau-né. Les bébés, surtout
à cet âge-là, ne sont ni beaux ni laids, même s'ils
penchent plus vers la mocheté. Ils sont tout rouges,
tout ridés. Le corps est difforme. Le ventre est trop
gros, avec un horrible petit bout de cordon séché.
Les membres sont croches – surtout les jambes,
comme si elles avaient passé les neuf derniers mois
à cheval sur un âne. Les doigts et les orteils sont
trop petits pour servir à quelque chose. Leurs yeux
ne sont pas mieux : soit ils sont fermés et ça leur
donne un visage plissé, soit ils sont ouverts avec des
yeux noirs incapables de nous voir, et ça se voit.
En plus, le mien a tout le centre du corps enve-
loppé dans une bonne couche de merde jaunâtre.
Il y a l'odeur, aussi. Pour aimer un bébé pareil, ou
n'importe quel autre, il faut être sa mère (son père
en est incapable, seulement apte à faire semblant
de le trouver adorable et de rougir de honte plus
que de plaisir si on lui dit que c'est son portrait
tout craché). Et encore : la mère de celui-ci n'a
rien trouvé de mieux que de le refiler dans les plus
brefs délais à une femme qui déteste les bébés, alors
qu'elle était parfaitement au courant de ce fait.

Je n'en nettoie pas moins consciencieusement le corps du petit. J'enlève d'abord le plus gros de la merde en le plaçant sous le robinet de la cuisine. Je le nettoie encore avec des lingettes puis avec ma débarbouillette (je ne voyage jamais sans elle et j'avais peur que celles du Point du jour soient trop rugueuses pour me laver le derrière et surtout le devant).

Je lui mets une couche neuve. Je le dépose tout propre sur le lit.

Mon petit-fils daignera-t-il me gratifier d'un sourire en guise de remerciement? Même pas. Il est vrai qu'il est peut-être mort. Il n'empêche que les humains, surtout les hommes, naissent totalement ingrats et le deviennent encore plus à chaque minute qui passe. Ce serait le temps ou jamais de remercier sa grand-mère d'une petite risette pour lui avoir sauvé la vie. Mais je ne suis pas étonnée qu'il s'en abstienne. D'autant plus que c'est un garçon.

Je jette dans la corbeille la couche et les lingettes souillées. J'ai peur que ça brûle mal dans la cheminée. Ou que ça envoie à des kilomètres à la ronde des odeurs inimitables. Personne, à la campagne, ne confondra l'odeur de bois qui flambe et des effluves de merde de bébé qui brûle. Je lave ma débarbouillette de mon mieux dans le lavabo de la salle de bains. À l'avenir, quand je voyagerai, j'en apporterai deux. On ne sait jamais ce qu'on sera obligé de faire avec la première.

Que le petit soit mort ou vivant, il faut maintenant que je le rhabille. Et ne voilà-t-il pas qu'il ouvre les yeux. Je sais que les morts peuvent garder les yeux ouverts. Mais je ne crois pas qu'ils soient capables de les rouvrir.

Pour confirmer qu'il est bien vivant, mon petit-fils se met à pleurer. Il m'a aperçue et ne reconnaît pas sa mère et encore moins sa grand-mère. Ou il n'a tout simplement pas envie de passer les premiers jours de son existence avec une quasi vieille. Je me hâte de mettre une robe. Mes seins ont l'air moins anciens quand on ne les voit pas.

Ça ne l'empêche pas de pleurer jusqu'au moment où je lui enfonce un biberon dans la bouche. Il avait faim, le pauvre. J'aurais dû y penser plus tôt, mais c'est une autre des mille et une choses que je trouve insupportables des bébés : ils sont incapables de dire ce qu'ils veulent. Ils pleurent quand ils ont faim, ils pleurent quand leur couche est souillée, ils pleurent quand ils ont mal au ventre ou aux oreilles. Et ce sont toujours les mêmes pleurs. Comment savoir ? C'est comme si, nous, nous ne connaissions qu'un seul mot pour tout exprimer. Par exemple : « Putain ! » pour dire « Bravo », « J'ai envie de baiser » ou « Va chier ».

Mais le biberon est glacé. Il n'est pas à la température de la peau comme c'est supposé. Il paraît que ça peut causer des problèmes de digestion.

Je prends l'autre biberon plein. Je le vide dans un bol de plastique trouvé dans l'armoire de la cuisinette et que j'enfourne au micro-ondes. Trente secondes. Il est maintenant trop chaud. Je verse dans le bol un peu de lait glacé du premier biberon. Je plonge le doigt dans le bol et je ne sens rien, comme c'est supposé.

Je verse la moitié du bol dans le biberon que je viens de vider et l'autre moitié dans l'évier sans faire exprès. Je mets la tétine sur le biberon et je me hâte de le substituer au premier avant que les effets du lait froid se fassent sentir. Coliques ? Vomissements ? Je ne me rappelle pas. C'est le genre de souvenir qu'on n'a pas tellement envie de garder en mémoire pendant des décennies.

Le bébé boit avec avidité. Je m'assois sur le lit à côté de lui, je le prends dans mes bras en lui tenant le biberon d'une main.

J'en profite pour le regarder comme il faut. Je n'ai jamais été très douée pour trouver des ressemblances entre un bébé et ses géniteurs, d'autant plus qu'un biberon au milieu du visage déforme forcément les traits. Ressemble-t-il à Véro ? À part le fait qu'il a deux yeux, un nez et une bouche, rien d'évident. Il ne me ressemble pas non plus. Ni à feu son grand-père.

Et puis, il a encore sa tête de bébé d'un jour ou deux. À vingt ans, lorsque les boutons de l'adolescence auront été effacés, il sera peut-être un adonis, mais en attendant il est loin d'être un beau bébé. Une autre femme le trouverait peut-être mignon, parce que les femmes, et quelques hommes aussi, manquent totalement de goût pour les nouveau-nés, particulièrement lorsqu'ils en sont les parents et à plus forte raison les grands-parents. Mon petit-fils n'a pas de chance : il est tombé sur une grand-mère qui a gardé son esprit critique.

Ces réflexions m'ont pris du temps mais n'ont pas du tout résolu mon problème. Qu'est-ce que je fais, maintenant? Je n'appelle pas la police. Ils risquent de prendre trop de temps pour arriver et le petit va se remettre à pleurer. Je vais plutôt au poste le plus proche et je déclare que quelqu'un a déposé ce bébé devant ma porte sans aucune espèce d'explication. La mère a dû se tromper de numéro de porte. Ou pensait que c'était quelqu'un d'autre qui logeait dans cette cabane. Ou elle partait en pique-nique et a oublié son panier là, complètement par hasard. Qu'est-ce que j'en sais, moi? C'est à la police de trouver la vérité. C'est pour ça qu'on les paye, pas pour lire des revues pornos dans leur voiture banalisée, à l'ombre des viaducs.

Mais c'est justement ce que je redoute. La police va faire enquête dans tous les hôpitaux du Québec pour connaître le nom des femmes qui ont accouché dans les derniers jours. Elle va découvrir qu'une Véronique Montour-Dubois a donné naissance à un bébé, peut-être à Gaspé, mais je parierais plutôt sur Montréal, Longueuil ou Laval. Ils vont envoyer des agents au logement-piquerie de Véro, où ils ne trouveront pas un seul bébé, mais seulement une junkie récemment accouchée. Et ils vont faire la connexion entre Montour-Dubois et moi, parce qu'il y a infiniment moins de Montour que de Tremblay ou de Gagnon. Ils vont lancer un avis de recherche dans tous les établissements hôteliers du Canada. Ou, plus simplement, Véronique avouera où elle a abandonné son bébé.

Et qui va se retrouver avec un enfant sur les bras, alors qu'elle commence à peine à jouir d'une retraite bien méritée? Moi, bien entendu. (Je n'ai enseigné que pendant une quinzaine d'années, mais mon avocat m'a dit que, si je ne suis pas reconnue invalide, j'ai des chances de récupérer un petit fonds de retraite, de quoi tenir jusqu'à ma pension de vieillesse, dans sept ans.)

J'ai trouvé : je vais déposer le panier devant la porte de n'importe quelle maison de Percé qui semble habitée. Avec un peu de lumière dans la cuisine ou le salon ou, mieux encore, de la fumée qui sort de la cheminée. Je me fiche du genre de personne qui va hériter de mon problème. Un couple de lesbiennes? Ça leur évitera de se payer un donneur de sperme. Des vieux retraités? Ça occupera mieux leurs vieux jours que regarder des inepties à la télévision. Une famille déjà nombreuse? Quand il y en a pour dix, il y en a pour onze.

Mais je ne peux pas faire ça en plein jour. On me verrait. Et des Lada comme la mienne, il n'en reste pas tellement plus qu'une sur les routes du Québec. Même si j'attends la nuit, je vais laisser des traces de pneus et de bottes. La police va enquêter et trouver les mêmes traces devant une cabane du Point du jour. J'aurais beau être déjà loin, ils vont lancer un avis de recherche. Et si j'ai eu le malheur de déposer le bébé devant une porte de sourd qui ne l'entendra pas crier et que le bébé meurt de froid, quoiqu'il semble bien y résister jusqu'à maintenant, je serai accusée d'homicide involontaire. Ou de meurtre, tant qu'à faire, puisque je n'aurais pas dû abandonner ce bébé sans m'assurer que le propriétaire de la maison n'était pas sourd.

J'envisage d'autres possibilités. Entrer dans un restaurant avec mon panier et laisser le bébé dans les toilettes pour ressortir avec mon panier vide ou sans panier. Le bébé n'en mourra pas, mais il suffit qu'une seule personne me voie entrer et sortir. Je ne suis pas sûre qu'il ne soit pas criminel d'abandonner un nouveau-né dans des toilettes. Et être sa grand-mère n'est pas une circonstance atténuante.

Retourner à Montréal et remettre le bébé à Véronique? Pas question. C'est vrai que je manque d'empathie envers le poupon et envers sa mère, mais il y a quand même des limites que je ne peux pas franchir. Laisser un bébé à une junkie alors qu'elle est la première à savoir qu'elle sera incapable de s'en occuper? Peut-être le bébé a-t-il hérité de son VIH? En tout cas, il sera appelé à une vie misérable et malheureuse. Pour terminer drogué, schizophrène, diabétique ou tout ça à la fois : il n'est pas gâté par l'hérédité familiale. Mieux vaut mourir que vivre une vie comme ça.

Sans compter que les bébés, ce n'est pas ce qui manque sur cette planète. On dépasse les sept milliards d'habitants, tous âges confondus. Et tous ont commencé par être des bébés. Le pire, c'est que nous ne cessons pas d'en faire, que ce soit volontairement ou par accident. On a peine à nourrir tout ce monde-là, il faut de plus en plus d'engrais chimiques et on multiplie les gaz à effets de serre et toutes sortes de saloperies, à commencer par les ordures et le mercure. Même les pires catastrophes – les tsunamis, les tremblements de terre, les massacres, les guerres – n'arrivent pas à réduire la population. C'est comme l'explosion de la dette : tout le monde en parle, mais personne ne fait rien pour la réduire. On pourrait commencer par tuer les vieux, mais ça nous avancerait à quoi ? Un vieux de soixante-dix ans qui meurt maintenant au lieu de s'éteindre naturellement à quatre-vingts, ça ne fait que dix années de vie humaine gagnées. Alors qu'en faisant mourir un seul bébé, on en gagne quatre-vingts ! Quatre-vingts années de pollution et de surexploitation du sol et des ressources. Huit fois plus que pour un vieux. Et un cercueil de vieux, ça prend au moins dix fois plus de bois que celui d'un bébé.

Je sais bien qu'un seul bébé, ça ne peut pas faire tellement de différence, mais si des millions de mères, de grand-mères et de simples citoyens préoccupés de l'avenir de l'humanité suivent mon exemple, nous sauverons la planète.

Oui, plus j'y pense, plus j'en arrive à la seule conclusion possible : mieux vaut que mon petit-fils meure.

Je suis encore un peu catholique – à peu près croyante, quoique pas du tout pratiquante. Là-bas, les discours de l'aumônier étaient si soporifiques qu'on allait souvent écouter le rabbin. Au moins, on ne comprenait rien. Je sais malgré tout que les bébés qui meurent avant d'être baptisés vont directement aux limbes et passent ensuite au paradis après le jugement dernier. Ou quelque chose du genre. Le petit catéchisme, je l'ai loin depuis longtemps.

Les limbes sont quand même un meilleur sort que celui que vont connaître la majorité des bébés nés cette semaine sur cette planète et qui auront le malheur de survivre.

En plus, je peux le baptiser moi-même. Je lui verse de l'eau sur le front et je dis « Au nom du Père et du Fils et du Saint-Esprit, je te baptise… » Et là j'ajoute son prénom. Mais il n'en a pas, de prénom. Ou s'il en a un, Véro n'a pas été assez brillante pour le mettre en signature de la carte.

Baptisé ou non, aux limbes ou au ciel, peu importe : c'est mieux qu'il meure. Un jour, au ciel, si nous nous retrouvons là-haut, il me remerciera de lui avoir évité cette petite vie pitoyable, réservée aux neuf cent quatre-vingt-dix-neuf personnes sur mille qui n'ont pas la chance de naître millionnaires. Et encore, il y a sûrement des millionnaires malheureux.

Mais ce n'est pas seulement pour lui qu'il vaut mieux qu'il meure. Je pense aussi à Véronique, qui va, un jour probablement très éloigné mais ça ne peut pas faire autrement que d'arriver, se sentir coupable d'avoir abandonné son fils et va le rechercher pour lui faire toutes sortes de misères bien intentionnées. Évidemment, je ne serai pas assez folle pour lui avouer que j'ai fait mourir son fils. Je lui dirai que je n'ai jamais vu de panier devant ma porte et que quelqu'un d'autre a dû le voler. Je pourrai lui envoyer une lettre anonyme de la voleuse du bébé (ça ne peut pas être un homme, les hommes ne kidnappent des bébés que pour demander une rançon), lui annonçant que son fils est décédé sans qu'elle ait fait exprès. Une méningite, par exemple. Véronique ne sait pas plus que moi ce que ça veut dire, mais il me semble que ça paraît bien pour une mort de bébé.

Pour moi aussi, il vaut mieux que ce bébé ne survive pas. Ainsi, je ne serai pas embarrassée d'un petit braillard toujours dans mes pattes ou pis encore d'une mère junkie qui me réclamera de l'argent parce qu'elle doit s'occuper d'un enfant. Ma pension d'invalidité, si jamais je la reçois, passera en crystal meth et autres héroïnes.

Il est donc dans l'intérêt de la société tout entière que cet enfant décède dans les plus brefs délais.

Cela étant dit, il me reste encore un problème : comment délivrer la planète de cet enfant sans conséquences fâcheuses pour lui ou pour moi ?

Je ne suis pas experte en la question, même si j'ai de l'expérience. Mais mon expérience, justement, m'incite à me méfier de mes capacités à me débarrasser de mes contemporains.

Je n'ai jamais raconté à personne pourquoi j'ai assassiné mon mari. Les journaux ont rapporté une version des événements très détaillée et généralement juste, mais pas complète, surtout sur mes motivations.

Gérald était mon deuxième mari. Le premier, le père d'Alexandre, est mort d'un empoisonnement alimentaire. J'ai été soupçonnée d'en avoir été responsable. Mais pas longtemps. Par un heureux hasard, trois autres personnes, dans différents coins du Canada, sont mortes la même semaine de la même bactérie après avoir mangé la même marque de jambon.

Je me suis remariée, avec un maçon qui gagnait bien sa vie et ne maltraitait pas trop Alexandre. Mais Gerry désirait un enfant, bien à lui celui-là. Pour moi, il n'en était pas question. Alexandre avait cinq ans, allait à la maternelle et n'était, enfin, plus un bébé. Il avait même atteint l'âge où les enfants sont le plus faciles à endurer, parce qu'ils comprennent ce qu'on leur dit mais n'ont pas été à l'école assez longtemps pour apprendre à le contester.

Nous utilisions des condoms, parce que j'étais allergique à la pilule. Et je m'assurais que mon Gerry mettait le sien soigneusement avant chacun de nos rapports, plutôt nombreux puisque nous étions jeunes et tous les deux fidèles, j'en étais convaincue. Un homme qui vous saute tous les matins et tous les soirs (plus le midi la fin de semaine) n'est pas du genre à batifoler ailleurs comme un président de fonds monétaire.

Nous habitions une maison en rangée ordinaire: salon et cuisine au rez-de-chaussée, chambres à l'étage. De plus, Gerry, qui était habile de ses mains, avait aménagé sur le toit une plateforme qu'il avait entourée d'une clôture en bois pour que nous puissions prendre le soleil dans le plus simple appareil et même nous envoyer en l'air sans scandaliser nos voisins.

Un beau jour de juin, alors qu'Alexandre était à l'école et que nous nous prélassions sur la terrasse, j'ai ramassé tout mon courage pour aborder avec Gerry un sujet qui me tracassait depuis quelques jours.

— Tu sais, j'ai pas eu mes règles depuis deux mois. Et j'ai peur d'être enceinte.

— Oui ? a fait Gerry avant d'avaler une gorgée de bière.

— Je veux juste te jurer une chose avant que tu t'imagines des affaires : je t'ai jamais trompé.

Il a éclaté de rire et s'est étouffé avec sa gorgée de bière.

Lorsqu'il a eu fini de rire, il m'a dit quelques mots pour me rassurer. Ça n'a pas eu l'effet escompté. Bien au contraire. Je suis descendue dans la cuisine sous prétexte d'aller lui chercher une bière fraîche. Je suis remontée avec l'énorme poêle en fonte que j'avais achetée pour faire des crêpes parce que le quincaillier m'avait juré que plus la poêle est lourde, meilleures sont les crêpes. Elle était comme neuve parce que je n'en faisais jamais. Je me suis approchée de lui par-derrière. Il était étendu sur sa chaise longue en toile, a levé la main pour prendre la bière qu'il croyait que j'allais lui tendre.

Il a plutôt reçu un coup de poêle sur la tête. Puis un deuxième. Un autre encore. Sa chaise longue s'est écrasée après ce coup-là. Et j'ai continué à le frapper sans compter. Je n'ai arrêté que lorsque sa tête a été complètement aplatie, comme si un rouleau compresseur lui était passé dessus.

Je suis redescendue. J'ai fermé la trappe qui permettait de monter sur le toit depuis la galerie arrière.

J'ai rangé l'échelle que nous utilisions pour y accéder. J'ai lavé la poêle dans l'évier de la cuisine. J'ai pris une douche et me suis habillée.

Quand Alexandre est arrivé de l'école, je lui ai dit que Gérald était parti et qu'on ne le reverrait jamais. Ça ne l'a pas attristé. Gerry n'était pas plus son vrai père qu'il n'était lui-même son vrai fils.

Quelques années plus tôt, chez ma coiffeuse, j'avais lu dans un magazine un article sur les corps des décédés que les pratiquants de je ne sais quelle religion montaient au sommet de tours à Mumbai (je pense qu'on disait Bombay dans ce temps-là). Les vautours et autres oiseaux les débarrassaient de leurs yeux, de leur peau, de leur chair. Après quelque temps, il ne restait plus que les os. J'ai oublié ce qu'on faisait des ossements, mais j'ai décidé d'imiter les adeptes de cette religion, d'autant plus que c'était facile : il suffisait de ne rien faire. Le corps de Gerry était caché par la clôture. J'ai dit à Alexandre que la compagnie d'assurance nous interdisait d'aller sur le toit parce qu'il y avait des dangers de chute. Et j'ai décidé d'attendre quelques mois avant de décider quoi faire des os de Gerry une fois que les oiseaux auraient fini de les nettoyer.

Mais je n'ai pas attendu longtemps. Une semaine plus tard, la veille de mon rendez-vous à la clinique d'avortement, il y a eu un incendie de cheminée dans la maison voisine. Les pompiers sont arrivés avec la grande échelle pour arroser le toit d'à côté. Le brave sapeur perché au sommet a regardé par-dessus la clôture sur mon toit à moi dans l'espoir d'apercevoir une jolie fille en bikini sans haut. Il a plutôt découvert un corps d'homme nu se terminant par une tête aplatie.

La police a accouru. On m'a arrêtée. On m'a fait un procès. Et on m'a envoyée Là-bas parce que j'ai fait semblant d'être trop folle pour savoir ce que je faisais. J'ai évité de dire – même à mon avocat – pourquoi j'avais tué mon mari, ça m'aurait fait passer pour saine d'esprit. Et ça a marché : on m'a jugée non criminellement responsable et on m'a envoyée Là-bas, où je me suis bien amusée pendant vingt ans. Les psys m'ont déclarée tour à tour schizophrène, bipolaire, catatonique, schizoïde, démente précoce, psychotique, athymique, paranoïaque et bien d'autres choses encore. J'ai couché avec deux psychiatres, trois gardes de sécurité et quatre hommes de ménage.

Mon avocat avait insisté pour que je renonce à me faire avorter, parce que le jury hésiterait à envoyer une femme enceinte en prison. Dès que j'ai accouché, on m'a enlevé Véronique et on l'a confiée à une famille d'accueil, pas la même qu'Alexandre. Lui, il a eu de la chance avec ses nouveaux parents : une infirmière mariée à un ingénieur. Ça aide à devenir comptable. Véronique, elle, est mal tombée. Ça prouve que les gènes sont bien moins importants que les gens qui nous élèvent.

Toujours est-il que me voilà maintenant prise avec un bébé dont je dois absolument me débarrasser dans l'intérêt de la collectivité mondiale. Pas question de lui écraser la tête avec une poêle en fonte et de mettre son cadavre sur un toit. J'ai eu ma leçon. De toute façon, je viens de vérifier : il n'y a ici qu'une poêle en aluminium, légère et bon marché. Impossible avec ça de casser d'un seul coup un crâne même tout petit. Je veux bien le tuer, mais je n'ai pas envie de le faire souffrir plus que nécessaire. Par-dessus le marché, les toits des cabanes et du restaurant sont à pignon. Il n'y a pas que les oiseaux qui verraient son cadavre.

Je pourrais déposer le bébé au milieu de la route en pleine nuit pour qu'il se fasse écraser par un camion. En quelques heures, il n'en resterait rien de plus que les cadavres aplatis de marmottes qu'on voit disparaître graduellement le long des routes en été. Je ne connais pas de manière agréable de mourir, mais celle-là est trop douloureuse. Si une roue de camion lui passe carrément sur le visage, il ne souffrira pas longtemps. Mais si le premier véhicule ne lui écrase qu'un pied ou un petit bout du crâne, il aura mal pendant des heures ou des jours, surtout que dans le temps des Fêtes la circulation n'est pas très dense dans ce coin de pays.

Le noyer dans l'évier et déposer son corps dans une benne à ordures ? Il y a quand même une chance sur cent pour qu'on le découvre, soit quand on videra la benne dans le camion, soit quand on videra le camion au dépotoir. D'autant plus qu'un chien ou un animal sauvage peut s'emparer du cadavre et aller l'exhiber dans le village le plus proche ou l'abandonner, à moitié dévoré, quelque part où un braconnier ou un simple motoneigiste le découvrira. Je ne suis pas experte en ADN, mais j'ai vu assez de séries policières à la télé quand j'étais Là-bas pour savoir que des tests prouveront qu'il était mon petit-fils.

Finalement, ma mission est claire : il faut que je fasse disparaître ce bébé sans laisser de traces. En le faisant mourir d'une façon pas trop cruelle, en tout cas pas assez dégueulasse pour me causer des cauchemars toutes les nuits jusqu'à la fin de mes jours. Ça ne m'est pas arrivé avec Gerry, mais ce n'était pas mon petit-fils, lui.

Quand je rentrerai à Montréal, Véro s'étonnera que je n'aie pas son bébé, surtout si elle a décidé de retourner en désintox dans l'espoir de le reprendre, parce que les junkies changent souvent d'idée. Je répliquerai « Quel bébé ? » et je lui jurerai que je n'ai jamais trouvé de bébé dans un panier à la porte de ma cabane en Gaspésie. Ça m'étonnerait qu'elle alerte la police. Une fille ne peut pas être désintoxiquée au point d'aller s'accuser d'avoir abandonné son bébé. Et si elle le fait, on ne la prendra pas au sérieux. De toute façon, on ne trouvera pas de bébé. Surtout, je suis prête à parier que Véro a déjà oublié qu'elle a eu ce bébé – si elle s'est même rendu compte d'avoir accouché.

La noyade est sûrement un des moyens les moins pénibles de tuer un bébé. Mais il n'y a pas de baignoire et je me vois mal lui tenir la tête dans l'évier pendant cinq minutes. Ça a beau être un nouveau-né, un bébé doit se débattre comme un diable dans l'eau bénite quand on lui met la tête sous l'eau. Pas question. J'imagine une de ses petites mains qui s'accroche à un de mes doigts. Je ne serais pas capable. Et si j'abandonne avant la fin, il risque de se retrouver handicapé pour la vie.

Mais il y a mieux que l'évier. Je suis en Gaspésie, au bord d'une mer absolument glacée. Il suffit d'y lancer le bébé, il sera mort pratiquement sans rien sentir et en moins de deux, sans que je voie rien. Les baleines ou les otaries le dévoreront en une bouchée. Et jamais personne ne saura qu'un bébé a disparu par là. Je ferai le même sort au panier tout entier pour éliminer les pièces à conviction. Les couches souillées disparaîtront aussi dans l'océan. Tant pis pour les marsouins. Ni vu ni connu. Bon débarras.

Je profite du sommeil de mon petit-fils pour enfiler bottes et manteau et jeter un coup d'œil dehors. Les motoneiges sont encore là. Leur itinéraire prévoit-il un jour de repos à Percé? J'imagine plutôt que les Français ont bu comme des cochons toute la nuit et qu'ils vont cuver leur vin jusqu'à midi au moins.

Je marche jusqu'au belvédère. C'est une simple clôture plantée au bord de la falaise qui permet d'admirer le paysage et le célèbre rocher sans tomber dans la mer. Je m'y appuie pour regarder l'horizon. Pas un seul bateau de pêche ni une seule autre embarcation. Voilà qui est bien. Je me penche pour regarder en bas. Problème: la mer est gelée, sur une cinquantaine de mètres le long du rivage. Suis-je capable de lancer de cette hauteur un bébé assez loin pour qu'il plonge directement dans l'océan au lieu de s'écraser sur la plage ou sur la glace? Si le bébé ne tombe pas dans l'eau, quelqu'un risque de l'apercevoir en venant admirer le rocher, même si le trou est hors de vue – parce que tant qu'on n'est pas allé voir si on peut voir le trou, on ne peut pas savoir qu'il est invisible.

C'est facile de vérifier si j'ai la force nécessaire. Je me penche, je ramasse assez de neige pour faire une belle boule bien dure. Et je la lance de toutes mes forces. Elle monte, puis continue sur sa lancée, fait une hyperbole, si c'est comme ça que ça s'appelle (je n'ai jamais enseigné les mathématiques passé la troisième année), puis tombe tout droit, verticalement. Pas dans la mer, comme je l'espérais, mais sur la banquise, si cette surface de glace mérite ce nom-là.

Je ne serai jamais championne olympique du lancer du bébé. Il faut que je trouve autre chose.

À une extrémité de la clôture du belvédère, il y a un long escalier qui descend à la plage de galets. Quand je travaillais ici, il m'est arrivé de le prendre. C'est même sur cette plage, à la pleine lune, que j'ai baisé pour la première fois avec Rodrigue. Je ne vois pas pourquoi je ne serais pas encore capable. Pas de baiser, mais de descendre les marches. Remonter sera plus difficile. Mais en prenant mon temps et en faisant beaucoup de pauses, je devrais y arriver. J'ai cinquante-huit ans, pas quatre-vingt-dix.

Je retourne à ma cabane. Le petit pleure. Je lui fourre un biberon dans le bec et ça le fait taire. Mais je ne dois pas trop tarder. S'il fallait que les Français

se réveillent et viennent faire un tour du côté du belvédère, ils me verraient arriver avec mon panier à
pique-nique, et même des Français ne sont pas assez
stupides pour croire qu'on peut aller pique-niquer
en plein hiver.

J'examine la situation. Il y a la fenêtre du côté de
la falaise. Si je passe par là, je peux longer le petit
bois à gauche et je serai invisible jusqu'à l'escalier.
Ensuite, je ne pourrai être vue que par quelqu'un qui
irait se pencher par-dessus le parapet du belvédère.
Pas plus d'une chance sur cent. Les Français en ont
encore pour des heures à cuver leur vin. Et tous les
autres plans que je pourrais concocter offrent autant
sinon plus de possibilités de mal tourner.

Le petit ne boit plus. Il s'est rendormi dans sa
combinaison à boutons-pression. Je lui pose la tête
sur mon épaule pour lui faire faire son rot, qui ne
vient pas. Tant pis. Je remets le bébé dans son panier.
Pas la peine de le rhabiller entièrement, pour ce qui
va lui arriver. Je le couvre simplement de la nappe à
carreaux, pour le cacher au cas où quelqu'un m'in-
tercepterait.

Il me faut toutes mes forces pour ouvrir la fenêtre,
mais j'y arrive. Je hisse le panier, je le laisse tomber
dans la neige – de pas si haut, même pas un mètre
entre le bout de mon bras et le banc de neige. Le
petit se contente d'émettre un petit rot que je suis
la seule à entendre. C'est bon signe. Je tente de me
hisser à mon tour par la fenêtre. Misère ! Je ne passe
pas. L'ouverture est assez grande et je ne suis pas si

grosse, mais je n'ai pas assez de force dans les bras pour me tirer suffisamment haut.

Je retraite et je prends une chaise. Je monte dessus. Ça va mieux : je me laisse basculer de l'autre côté.

Le petit hurle. Il n'a pas tout à fait tort : je suis tombée sur lui, en plein dans son panier. Je ne l'ai pas tué, mais peut-être blessé. Tant pis, ça ne changera pas grand-chose à son espérance de vie.

Je me relève, je reprends mon panier et j'essaie de courir vers les arbres avant que quelqu'un me voie. Mais la neige est épaisse de ce côté-là. Mieux vaut aller directement à l'escalier. Je jette un coup d'œil derrière moi. Personne ne semble avoir entendu les cris du bébé. Mais je m'aperçois que j'ai oublié de fermer la fenêtre. La cabane va être glacée. Raison de plus pour me dépêcher. Au moins, le petit s'est tu.

Les marches de l'escalier sont moins glissantes que je le craignais. On les a refaites, depuis le temps. Il me semble que ce sont des marches en matière plastique, artificielle en tout cas, granuleuse et à l'épreuve de tout. Le vent est fort le long de la falaise, et les marches sont déneigées naturellement. Je ne lâche pas la rampe, que je tiens d'une main et l'anse du panier de l'autre.

Il y a six volées d'une quarantaine de marches chacune. Ça se descend, ma foi, moins difficilement que j'aurais cru. Je m'arrête quand même à tous les paliers pour reprendre mon souffle.

Me voilà enfin sur les galets, recouverts de neige et de glace. Quelques pas encore et je suis sur la mer gelée. Pas du tout comme une patinoire. Le vent a chassé la neige, mais la surface de la glace est encore plus rugueuse que celle des escaliers. Je n'ai pas peur de tomber. Mais jusqu'où puis-je aller sans risquer de passer à travers? Difficile à dire. Je m'arrête à quelque chose comme vingt mètres de la mer ouverte. Il y a juste devant mes pieds une longue fissure dans la glace, qui n'a rien pour me rassurer.

Je regarde par-dessus mon épaule vers le belvédère. Je n'aperçois aucune silhouette.

Je fais d'abord une petite répétition, sans le panier. Je lance le bras en arrière, je me penche en avant, puis je fais un grand mouvement avant d'ouvrir la main. Ça me semble impeccable, comme mouvement. Je dois ressembler aux joueuses de curling à la télévision. Là-bas, on nous mettait souvent à la télévision des sports ennuyants pour nous tenir tranquilles ou nous endormir, le samedi et le dimanche après-midi.

Nouveau coup d'œil au belvédère. Toujours personne.

Je prends l'anse du panier dans ma main droite. Misère! J'ai oublié de le baptiser. Je ne sais même pas quel nom lui donner. Je n'ai pas d'eau. Est-ce qu'on peut baptiser un nouveau-né avec du lait? Ça m'étonnerait. Tant pis: il ira aux limbes, pas au paradis – en tout cas, pas tout de suite.

Je fais un pas en avant, je décris un demi-cercle avec le bras, puis je laisse aller. La direction est impeccable, droit vers la mer. Une vraie championne. Et le panier, lancé de toutes mes forces, s'avance en brinquebalant sur les anfractuosités de la glace. Il va assez vite, c'est sûr. Il lui reste quelques mètres à faire. Mais ne voilà-t-il pas qu'il s'arrête brusquement, comme si le bébé avait mis les freins.

Le panier a frappé une aspérité plus grosse que les autres. Ou je ne l'ai tout simplement pas poussé assez fort. Il penche aussi un tout petit peu du côté droit. Et le petit se remet à pleurer.

Je n'ai qu'à le laisser là. Personne ne va s'aventurer si loin sur la glace pour récupérer un panier quand on ne sait pas ce qu'il y a dedans. Mais quelle est la portée des pleurs d'un bébé? Le vent de la mer peut-il pousser les sons vers la terre ferme et vers le haut? Quelqu'un pourrait-il l'entendre en sortant d'une des cabanes et venir voir ce qui se passe? Il verrait une femme qui s'éloigne d'un panier qu'elle a abandonné avec un bébé dedans. Même si on ne me voit pas tout de suite, si le panier est là toute la journée, on va se demander ce que c'est, on va entendre le bébé qui pleure et on sera bien obligé d'appeler la police qui enverra des pompiers avec des cordes et des gaffes pour récupérer le poupon sans s'enfoncer à travers la glace, on fera des tests d'ADN et je devine la suite.

Je n'ai pas le choix: il faut que j'aille lui donner une poussée supplémentaire, même si la glace est forcément de plus en plus mince en approchant de la mer ouverte.

Je franchis une première fissure et je m'avance à quatre pattes, puis en rampant sur le ventre après avoir franchi une autre grosse fissure, parce que je commence à avoir la trouille. Heureusement, le panier n'est pas très loin. Je l'attrape.

Je me relève. Je n'ai plus qu'à prendre un petit élan pour lancer le panier sur les quelques mètres qui le séparent de la mer.

J'ai tout à coup l'impression d'être observée. Je ne suis pas folle, je sais que c'est impossible, que les yeux n'émettent aucune espèce de rayon perceptible pour le dos des gens, mais je me retourne quand même et je lève les yeux : au belvédère, il y a trois silhouettes. Sûrement trois des motoneigistes français. Ils sont venus jeter un coup d'œil au rocher Percé. Se pourrait-il qu'un des trois ait un appareil photo avec lui ? Il serait étonnant qu'au moins un des trois n'en ait pas un. Plus probable : ils en ont un chacun. Ils sont là pour prendre une photo qu'ils croiront très originale, qu'ils montreront à leurs camarades de bureau parisiens la semaine prochaine, en faisant valoir que le rocher est bien plus original de cet angle, puisqu'on ne voit pas le fameux trou qui rend les photos des autres touristes si vulgairement touristiques.

Le problème, c'est que je suis probablement dans l'image, avec le panier de pique-nique que je m'apprête à pousser vers l'eau glacée. Et ces Français ne manqueront pas l'occasion de photographier ou même de filmer cette bizarre coutume qu'ont les femmes d'ici d'envoyer un panier de provisions aux dieux de la mer en ce jour de Noël. Une tradition amérindienne, sûrement.

Si Véronique, saisie de remords, se met à la recherche de son panier et que la police retrouve ces photos de sa mère poussant le panier vers l'eau, je vais avoir des explications à donner. Et je n'en trouve aucune satisfaisante. Il est même possible que les photos se retrouvent sur Facebook et que Véro les aperçoive par hasard ou autrement. Reconnaîtra-t-elle sa mère, vue de dos? Ça ne m'étonnerait pas.

Qu'est-ce que je fais? Je ne peux pas envoyer le panier dans l'eau. Je ne peux pas l'abandonner, non plus. Je n'ai pas le choix: je rentre avec à ma cabane.

Mais qu'est-ce qui se passe si le bébé se remet à pleurer quand je serai à portée de voix des Français? Il commence d'ailleurs à s'agiter dans son couffin improvisé. Je vois la nappe bouger. Je pourrais longer la rive à ma droite, et remonter un ou deux kilomètres plus loin, là où la falaise disparaît et la route longe la mer. Mais c'est un long détour. Et puis la surface gelée rétrécit de ce côté-là. Elle est peut-être moins dure qu'ici. Je n'ai aucune envie de me noyer dans l'eau glacée.

J'ai une idée: je m'accroupis, dos tourné à la falaise, et je fais semblant de manger quelque chose dans mon panier. Rien de plus naturel: quand on a un panier à pique-nique, c'est pour pique-niquer. Mais je ne mange rien. Je prends un biberon, rempli de lait plutôt froid mais pas encore glacé, et je le fourre dans la bouche du petit. Il boit pendant deux minutes et se rendort. Je laisse le biberon tout près de sa bouche pour qu'il ait le réflexe de téter au lieu de hurler si la faim le reprend. Et je remets la nappe par-dessus le tout.

Je marche vers le pied de l'escalier. En haut, un des Français me fait un signe de la main. Signe amical, me semble-t-il. Je réponds de façon tout aussi amicale de ma main libre et je pose le pied sur la première marche.

Combien de temps ai-je mis à monter l'escalier? Une demi-heure, au moins. Avec des pauses à toutes les dix marches. Et à toutes les marches l'envie de lancer mon panier par-dessus la rampe. En maudissant les motoneigistes qui sont probablement encore là à me regarder en attendant de me souhaiter Joyeux Noël.

Mais quand j'arrive en haut, essoufflée, le cœur battant à deux mille pulsations à la minute, il n'y a personne. Les motoneiges ont quitté le stationnement. Tout le monde est parti. Et le bébé ne pleure toujours pas, sans se douter que ça n'a plus d'importance.

4

ME REVOILÀ SEULE dans ma cabane. Non, pas vraiment seule, puisque j'ai toujours mon panier et qu'il n'est toujours pas vide.

La cabane est glacée, malgré les efforts des plinthes chauffantes pour compenser l'air glacé qui entrait par la fenêtre. Je pose le panier sur le lit. Je ferme la fenêtre. Je remets du papier et du bois dans la cheminée, mais le feu s'obstine à ne pas se rallumer, comme s'il était trop gelé lui aussi. Le petit se remet à pleurer, je le sors du panier et je lui fourre son biberon dans le bec. Et me voilà à genoux, le bébé dans les bras, à souffler sur les braises.

Après plusieurs minutes, le feu se remet à flamber joyeusement. Je change la couche du petit même si elle n'est qu'un peu mouillée. Il en reste bien assez pour jusqu'à la fin de ses jours. Je le rhabille dans sa combinaison. Je le dépose sur le lit. Il me regarde. Il me semble que les bébés ne voient rien avant quelques jours. Mais lui, on dirait qu'il me voit.

Pire : il me sourit ! Je ne vois pas matière à sourire, de se retrouver si petit dans une cabane avec une grand-mère qui a pour seule ambition de se débarrasser de lui. Mais je lui rends son sourire.

Après tout, je suis sa grand-mère. Le seul et unique grand parent qu'il connaîtra de toute sa vie.

Je m'étends sur le lit à côté de lui. Je le serre contre moi. Nous sommes très bien comme ça, sous les couvertures. Et je crois que nous allons faire une petite sieste. J'en ai assez, de réfléchir.

Pas de chance : quelqu'un frappe à la porte. J'avais oublié la femme de chambre ! Elle doit être payée à la journée et préfère travailler le jour de Noël, à temps et demi ou double. Il faut que je trouve une excuse pour l'empêcher d'entrer. Je lui crie que je suis toute nue ? Elle va revenir dans deux minutes, le temps que je m'habille. Sans doute qu'elle a fini les chambres des Français, et qu'il ne lui reste plus que la mienne à faire avant de rentrer chez elle. Je m'approche de la porte et j'essaie de crier, même s'il ne sort de ma bouche qu'un filet de voix éraillée dont j'espère qu'il traverse la porte bon marché :

— Je vas faire ma chambre moi-même. Vous reviendrez demain.

— C'est juste moi, Mylène, fait une voix que je reconnais en effet comme celle de la barmaid. Y a pas de femme de ménage le jour de Noël. Je voulais juste voir si tout est correct.

Bonne fille, de se préoccuper des effets du Southern Comfort sur ses clientes d'âge mûr. Je chuchote :

— J'ai rien qu'un gros mal de gorge.

— Je sais pas si je vous l'ai dit, l'hiver y a rien qu'un restaurant d'ouvert au village, mais il est fermé aujourd'hui. La pharmacie a tout ce que vous voulez. Des chips, des pinottes…

— J'ai des Pop-Tarts.

— En tout cas, vous allez être tranquille, aujourd'hui. On attend pas de motoneiges. Et puis Joyeux Noël si je vous l'ai pas dit hier soir.

— Joyeux Noël.

J'entends ses pas qui crissent dans la neige. C'est une bonne nouvelle : je suis tranquille au moins jusqu'à demain. Je suis la seule cliente du Relais Point du jour. J'ai tout mon temps. Et j'ai intérêt à en profiter, parce que je n'ai pas envie de répéter la quasi-catastrophe de tout à l'heure sur la glace. Quelqu'un aurait pu me voir jouer au curling avec le bébé. J'aurais aussi pu m'enfoncer à travers la glace avec lui dans les bras. Il faut que je fasse plus attention.

Je retourne à mon petit-fils. La sieste ne me dit plus rien. Je le place en travers du lit, entre les deux oreillers. Pas de danger qu'il tombe. De toute façon, ce ne serait pas d'assez haut pour qu'il se fasse vraiment mal.

Il me paraît en bonne santé et de bonne humeur. Aucun signe de VIH, mais je suppose qu'il est trop petit pour que ça paraisse. Je lui fais chauffer un biberon, que je lui plonge dans la bouche et que je réussis à faire tenir avec un des oreillers.

Je vais lui faire couler un bain dans l'évier de la cuisinette. L'eau chaude va le détendre et il ne s'apercevra de rien de ce qui va lui arriver, même si je ne sais pas encore comment ça va lui arriver. Je doute qu'il soit en âge d'apprécier, mais il devrait, s'il n'est pas un ingrat fini comme sa mère et son oncle. Et j'en profiterai pour le baptiser, tant qu'à le mettre dans l'eau.

Ça me rappelle qu'il faudrait bien que je lui trouve un nom, à mon petit-fils.

À l'époque de ma naissance, on donnait souvent aux bébés le prénom du parrain ou de la marraine, en plus de Marie ou de Joseph. J'ai ainsi été baptisée Marie Antoinette Viviane Lévesque, en hommage à ma tante Antoinette, qui est morte sans me laisser un sou en héritage. Pourtant, c'était avant que je tue Gérard.

Quel nom donnerais-je à mon fils si j'en avais un aujourd'hui? Sûrement pas Joseph. Ni Alexandre. C'est ordinaire maintenant, Alexandre, alors que dans le temps c'était rare. Et ça fait prétentieux, parce qu'on pense tout de suite à Le Grand. C'était le choix de Marcel, pas le mien.

Les noms anglais sont à la mode: Jesse, Jonathan, Audrey. Les noms composés, de Jean-Marie à Pierre-Marc en passant par Louis-Philippe, sont tombés en désuétude. Sauf le genre Marie-Soleil ou Marie-Mai. Pourquoi pas Joseph-Soleil?

Parce que.

Mais je me rends compte que je ne peux pas lui donner un prénom sans connaître son nom de famille. Il faut que les deux aillent bien ensemble. Il a celui du père, celui de la mère, ou les deux? Je n'ai aucune idée du nom du père. De la mère non plus. Parce que je viens de me souvenir que Véro ne s'appelle plus Véronique Montour-Dubois. Elle s'appelle toujours Véronique, mais elle a changé de nom de famille. J'avais accepté que sa famille d'accueil lui donne le sien en l'adoptant. Comme il me semblait que cela me débarrasserait d'elle pour de bon, j'ai signé les papiers. C'était un nom ordinaire, impossible à retenir, comme Lavallée ou Gagné. Ça se terminait probablement en é, mais je ne sais plus par quoi ça commençait.

Je vais faire comme si mon petit-fils s'appelait simplement Montour, comme moi quand je me suis mariée et que j'ai fait la bêtise de prendre le nom de mon premier mari, sans songer une seconde que je pourrais me remarier un jour. (Quand on se marie, même la deuxième ou troisième fois, on pense toujours que c'est pour la vie.) Il faut dire que j'avais été baptisée Lévesque, par une église qui n'admet pas les femmes à la prêtrise et encore moins à l'épiscopat! J'avais hâte d'avoir un autre nom, même si ça m'a forcée à me marier avec le premier venu doté d'un patronyme qui tenait debout. Je suis donc devenue Viviane Montour. Quand Marcel est mort, j'ai gardé ce nom-là. Et quand je me suis remariée avec un Dubois, j'ai encore gardé mon nom parce que ça ne se faisait plus, prendre le nom de son mari.

Véronique a été baptisée (le baptême était obligatoire Là-bas) sous le nom de Marie Véronique

Montour-Dubois parce que l'aumônier a insisté pour lui donner le nom de son père. «Vous l'avez tué, le moins que vous puissiez faire, c'est perpétuer sa mémoire.»

Donc, je décide que ce sera Montour tout court pour mon petit-fils. Qu'est-ce qui va bien avec Montour? J'aime les allitérations. Je trouve que ça rend les noms plus faciles à retenir. Moi, si j'écrivais un roman avec plus de deux ou trois personnages, il n'y aurait que des Nicole Lacolle et des Pierre Lapierre. Autrement, on finit par ne plus savoir qui est qui. C'est pour ça que je ne lis plus de romans depuis que je suis sortie de Là-bas.

Mais je ne trouve rien qui sonne bien avec Montour. Rien qui commence par Mon ou qui se termine par Tour.

Tiens, pourquoi pas Rock, pour rappeler le rocher Percé? Ce n'est pas là qu'il est né, mais là qu'il va mourir. Rock Montour. Ça fait moderne. J'imagine ça sur une affiche de chanteur heavy metal. Avec un k, pas un h. Ça fait plus anglais, mais pas tellement, parce que «rock» c'est dans tous les dictionnaires français. Pas si mal, comme nom. Pas de rime bébête. Et aucune allitération, à part le r au début et à la fin, mais ça paraît à peine. Je trouve que les allitérations sont mieux quand on ne les appuie pas trop. Bien sûr, quand il va donner son nom, tout le monde va commencer par écrire Rock avec un h. Il faudra qu'il l'épelle des milliers de fois dans sa vie, mais ce n'est pas si grave, ça ne fait que quatre lettres, ce n'est quand même pas

Sébastien-Emmanuel. Mieux vaut passer sa vie à faire ça qu'autre chose.

Mais il n'épellera jamais son nom. Il n'aura jamais à s'inscrire à la réception d'un hôtel. Il ne demandera jamais un emploi ou un permis de conduire. Il ne se fera jamais livrer une pizza. Il n'aura même pas à se faire inscrire à la maternelle.

Mon petit-fils va s'appeler Rock Montour pour le reste de sa vie, qui ne sera pas bien longue. Mais mourir avec un nom, c'est mieux que mourir sans même savoir comment on s'appelle.

— Viens, mon Rock.

Je m'aperçois aussitôt, juste à le dire une fois et en plus avec des cordes vocales amochées, que c'est un prénom ridicule. Mais ce n'est pas la peine de le changer. Pour ce que ça peut faire.

Je vérifie sa couche. Pour une fois, elle n'est pas souillée d'une merde liquide qui n'a rien d'étonnant puisqu'il n'a jamais mangé de solide ni même de semi-solide. Il n'en mangera d'ailleurs jamais et je ne le plains pas trop pour ça. J'ai mangé des milliers de repas dans ma vie, et rares sont ceux qui méritaient d'être dégustés. Des centaines et des centaines de pâtés chinois insipides, de rôtis de bœuf trop cuits ou trop saignants, de poulets coriaces, des montagnes de pâtes insignifiantes. Le fait que j'ai préparé moi-même une bonne part de ces repas ne les rend pas plus intéressants ni plus délicieux. Pour l'immense majorité des gens sur cette planète, l'immense majorité des plats qu'ils mangent dans leur vie ne valent pas la peine d'être avalés.

Probablement pas plus d'un sur cent, pour un pour cent du monde. Mourir de faim, c'est presque une chance.

Je l'envie, ce petit, qui n'aura savouré de toute sa vie que des biberons remplis d'un liquide insipide, alors qu'il est trop jeune pour se rendre compte que ça n'a aucun goût.

Je le réinstalle dans le lit, entre les oreillers. Il ne pleure pas, me regarde avec ses grands yeux noirs. C'est un bon bébé. Et la définition d'un bon bébé aux yeux de ses parents est toute simple : c'est un bébé qui ne pleure à peu près jamais, surtout pas en avion. Celui-là pleurerait-il si je prenais l'avion avec lui ? Je ne suis pas assez folle pour tenter l'expérience.

Il ne me reste plus qu'à décider comment me débarrasser de ce bébé, bon ou pas bon. Je commence par séparer la tâche en deux. Jusqu'à maintenant, je cherchais en même temps un moyen de le tuer et de me débarrasser de son corps. Je vais plutôt trouver le meilleur moyen de le faire mourir, et ensuite la meilleure façon de faire disparaître son cadavre.

Le tuer, d'abord. Je regarde autour de moi. Je ne vois rien d'inspirant. Le tuer à coups de bûche sur la tête ? Ça prendrait trop de coups. L'étrangler ? Sûrement pas. Je n'en serais pas capable. Je ne suis pas un assassin. Pas un vrai en tout cas, puisque je n'ai tué que mon mari jusqu'à ce jour, et que tuer son mari ne fait pas d'une femme une meurtrière en série débutante, surtout que je n'ai officiellement assassiné qu'un seul de mes deux maris. Le laisser mourir de faim? C'est trop long. Au moins deux ou trois jours. Les bébés en Afrique mettent des semaines à passer de vie à trépas devant les caméras de la télévision. Je ne vois pas pourquoi nos bébés à nous seraient moins résistants, à moins que l'entraînement y soit pour quelque chose. Le jeter du haut de la falaise, pour qu'il s'écrase sur la plage? Il faudrait que je redescende chercher son corps pour éviter qu'on le trouve et je n'ai pas envie de remonter toutes ces marches encore une fois avec un bébé désarticulé dans mes bras. Et même sans bébé, si je réussis à le balancer dans la mer sans que personne me voie.

Évidemment, il y a l'arme blanche. Il y a dans le tiroir à ustensiles un couteau assez grand pour assassiner un bébé. Peut-être même un adulte, s'il se laisse faire.

Mais pas question que j'utilise un couteau. Ça fait du sang qui pisse partout et qu'il faut nettoyer ensuite. Je déteste faire le ménage, et la femme de ménage est en congé.

Je regarde du côté du lit pour voir ce qui arrive au petit.

Oui, j'aurais dû y penser avant : les oreillers. Je lui en mets un sur le visage et j'appuie.

Je peux même m'asseoir dessus. Comme ça, je ne le verrai pas mourir. Mais combien de temps faudra-t-il appuyer pour être sûre qu'il sera bien mort? Une ou deux minutes devraient suffire. J'en mettrai cinq. Je n'ai pas de montre, mais il y a la minuterie du four à micro-ondes. Impossible de me tromper si je la mets en marche, parce que des fois deux minutes peuvent ressembler à cinq quand on ne les chronomètre pas. Dix minutes, tant qu'à faire. Et si le bébé survit à ça, je le laisserai vivre. Ça va me causer des tas d'embêtements, mais il l'aura bien mérité. Je le remettrai dans le panier et j'irai le porter quelque part à la nuit tombée. Dans le stationnement de la pharmacie, peut-être. Il y a des tas de voitures qui vont là, le jour de Noël, quand bien même ce ne serait que pour acheter des croustilles. Pourquoi on soupçonnerait mes empreintes de pneus ou de pas plutôt que celles des autres?

Va pour l'oreiller. Deuxième étape : comment me débarrasser du cadavre?

C'est petit, un bébé. Pas tellement plus gros qu'un chat. Et comment se débarrasse-t-on d'un chat mort? On le jette à la poubelle. Ou on l'enterre dans le jardin.

Pas question, pour la poubelle. N'importe quoi peut arriver aux ordures. Il y a même des municipalités qui en font le tri parce que leurs citoyens sont trop paresseux pour trier eux-mêmes leurs matières recyclables. Et comme le ministère de l'Environnement leur fixe des objectifs en pourcentage de matières réutilisables par rapport aux ordures totales, elles sont bien obligées de la trouver quelque part, la récupération.

Enterrer le bébé? Il y a sûrement une pelle dans la remise derrière le restaurant. Ce serait une bonne idée, si ce n'était pas l'hiver. Le sol est dur et ça ferait des traces dans la neige. Même si je recouvre le trou avec de la neige fraîche, il n'est pas impossible qu'un ours ou un chien soit attiré par l'odeur et vienne me déterrer mon petit Rock.

J'ai une idée. Qui me fait un peu honte, mais il faut ce qu'il faut.

J'ouvre toutes les portes des armoires à la recherche d'un robot culinaire ou d'un mélangeur électrique. Il n'y en a pas. C'est dommage, parce que mon idée n'était pas si bête : quelle que soit la manière dont je le fais mourir, je coupe le bébé en petits morceaux (le plus grand couteau du tiroir à ustensiles conviendrait à ce travail) et je réduis les morceaux en purée un à un. Les os de bébé, c'est tendre et ça ne peut pas être au-dessus des forces des lames d'un mélangeur. Il paraît qu'un bébé qui se casse un membre le récupère en quelques jours seulement, tellement ses os sont tendres. Ensuite, je n'aurai qu'à jeter le tout dans la toilette, qui l'enverra dans la fosse septique. Ce sera mélangé à l'urine et aux excréments de centaines de touristes et des membres du personnel. Les sciences policières ont évolué, mais sûrement pas au point d'en arriver à détecter l'ADN d'un bébé dans des milliers de litres d'immondices. De toute façon, je ne serais pas étonnée que les égouts du Point du jour s'en aillent directement dans la mer sans perdre leur temps dans un champ d'épuration.

Sur le comptoir, à côté de l'évier, il y a bien un grille-pain. Mais on ne peut rien faire à un bébé avec un grille-pain. Tant que Rock ne sera pas assez vieux pour s'électrocuter en y insérant un couteau pour sortir un Pop-Tart coincé, cet appareil ne me sera d'aucun secours.

Le micro-ondes? Si je voulais faire cuire le bébé, ça irait. Mais qu'est-ce que je ferais d'un bébé cuit?

Je me souviens tout à coup d'avoir lu quelque part qu'une femme avait mis son chat au micro-ondes pour le faire sécher après lui avoir donné son bain. Et le chat a explosé. Je suis sûre du mot « explosé » dans l'article de journal, mais je ne sais pas trop ce que ça voulait dire. S'est-il éparpillé en milliers de petits morceaux non identifiables, ou sa peau a-t-elle simplement éclaté, et sa chair a cuit comme n'importe quel morceau de viande dans un four?

Si le chat a vraiment explosé en mille morceaux, ce serait la solution finale parfaite pour Rock. Je l'étoufferais d'abord sous l'oreiller – je ne suis pas si cruelle. Ensuite, je le mettrais là-dedans pendant le temps qu'il faut. Je suppose que si on laisse des os assez longtemps dans un micro-ondes, ils finissent par se liquéfier ou quelque chose du genre. Le jus ou la bouillie, appelons ça comme on voudra, je n'aurai plus qu'à l'envoyer dans les toilettes et tirer la chasse d'eau. Le panier et le linge brûleront dans la cheminée.

Je me méfie, quand même. Le chat dans le micro-ondes, c'est peut-être une légende urbaine. Existe-t-il sur la planète une femme assez folle pour sécher son chat au micro-ondes sans d'abord se renseigner sur ce qui va se passer?

Après deux secondes de réflexion, je conclus que oui, il y a sûrement sur la planète des dizaines sinon des centaines de femmes (et d'hommes) assez stupides pour faire une chose pareille. Même que si j'avais un chat, je serais tentée de faire l'expérience, juste pour voir.

Pourtant, j'aime les chats. Plus que les chiens. J'en ai déjà eu un, avant d'aller Là-bas. Une chatte, plus précisément. Carabine, qu'elle s'appelait, mais je ne me souviens plus pourquoi. Ils n'ont pas voulu que je la garde. Je l'ai donnée à Alexandre, qui m'a dit qu'elle s'était fait écraser en traversant la rue. Je le soupçonne de l'avoir vendue, ou donnée à la Société protectrice des animaux. Ou de l'avoir mise au micro-ondes, juste pour voir. Alexandre était un garçon intelligent avant de devenir un adulte borné, et les enfants intelligents adorent les expériences scientifiques.

En tout cas, il vaudrait mieux que j'essaie d'abord avec un chat. Donc, ça me prend un chat. Il y en a partout, à la campagne. Je parie qu'il y en a dans la remise, derrière le restaurant. Je vais aller y jeter un coup d'œil.

C'est le temps ou jamais : Rock dort sur le lit, bien coincé entre les oreillers.

Je remets mes bottes et mon manteau. Toujours pas une voiture ni une motoneige dans le stationnement, à part la Lada de Francine. Personne ne va me voir. Pourtant, je fais le tour du restaurant pour limiter les risques. La remise est fermée avec un simple bout de bois fiché dans un verrou. Je l'enlève, je pousse la porte. Génial : il y a une chatte en train d'allaiter cinq ou six petits. Qu'est-ce que je prends ? La mère est sans doute à peu près du même poids que mon Rock. Mais si je l'enlève à ses petits – j'ai recompté : ils sont sept –, je les condamne à mourir. Tous les huit. C'est trop.

Je m'approche de la mère, qui miaule et relève la tête en fermant les yeux de plaisir quand je me penche pour la flatter. Lequel des petits vais-je prendre ? Pas un des multicolores. Les chats d'Espagne sont censés être uniquement des femelles et les femelles explosent peut-être plus rapidement que les mâles, alors que Rock est un garçon. Je saisis le tout noir. Il laisse aller la mamelle qu'il tétait goulûment. Et la mère me laisse faire. Ce n'est sûrement pas la première fois qu'on lui enlève un de ses petits pour en faire cadeau à un enfant. Elle est loin de se douter que c'est pour le tester au micro-ondes.

Je ressors avec le petit noir. C'est un mâle, si je vois bien son tout petit sexe. Je vais l'appeler Noiraud, pour le temps que ça servira. Je rentre à ma cabane. Rock dort toujours. Je dépose Noiraud sur le lit, le temps d'enlever bottes et manteau. Et j'ai droit à une jolie scène : le chaton s'approche du visage du bébé et l'examine avec curiosité. Rock ouvre un œil et aperçoit, peut-être, cette bestiole qui, même petite, devrait lui faire peur. Eh bien, non : il lui sourit. Et Noiraud s'assoit sur son derrière pour observer cette créature aussi étrange pour lui qu'il l'est lui-même pour elle.

Je ne vais pas me laisser embobiner par cette charmante rencontre de deux tout-petits.

Je m'empare de Noiraud et l'amène dans le coin-cuisine. J'ouvre le micro-ondes : le chaton y entre aisément et aurait assez de place pour jouer ou même passer confortablement le reste de sa vie de chaton.

Mais avant de mettre mon plan à exécution, une autre vérification s'impose, sinon je risque de tuer un chat pour rien. Je rapporte Noiraud sur le lit, et je prends Rock.

J'ouvre la porte du micro-ondes et j'y place mon petit-fils. Il entre. Il a amplement de place pour bouger, même avec la porte fermée. Mais qu'il meure en bougeant ou immobile, ça ne change rien.

Par contre, une chose est évidente : le chaton est trop petit, par rapport au bébé. Ou le bébé, trop gros. Si le chat explose après deux minutes, ça ne voudra aucunement dire que le bébé n'en prendra pas dix ou vingt ou trente.

Je ne peux pas changer de bébé, mais je peux changer de chat. Où est passé Noiraud ? Je le trouve devant le foyer, perché sur la boîte à bois. Je murmure :

— Allez, je te ramène à ta maman.

Et le chaton me laisse m'emparer de lui.

5

LA MÈRE EST TOUJOURS dans la remise avec ses petits. Je parie que les sept chatons ensemble feraient le poids de Rock, à quelques grammes près. Mais ce ne doit pas être facile, faire entrer sept chatons dans un four à micro-ondes. On en pousse quatre à l'intérieur, on ferme la porte, et au moment où on la rouvre pour ajouter les trois autres, deux des premiers en profitent pour se faufiler à l'extérieur.

En plus, même si les sept chatons font le même poids que mon Rock, ce n'est probablement pas le même temps de cuisson pour sept petits morceaux de viande que pour un gros.

Je dépose Noiraud par terre. Il se précipite sur la première mamelle libre, comme s'il avait eu le temps de mourir de faim pendant les quelques minutes qu'il a passées avec moi.

Je me penche et j'écarte les chatons de leur mère, qui me laisse faire. Noiraud s'accroche à sa mamelle et ne lâche prise que lorsque je secoue la mère après l'avoir saisie sous le ventre. Je n'ai pas de balance, mais je dirais qu'elle n'est pas loin du poids de Rock. Un petit peu plus, me semble-t-il. Et c'est mieux que si c'était un petit peu moins.

Qu'est-ce que je fais des chatons? Rien. La faim finira par les pousser à se lancer à l'aventure hors de la remise, pour se faire avaler par des oiseaux ou des renards. C'est le cycle de la nature. À moins que quelqu'un les trouve là, s'ils sont trop faibles pour s'éloigner tout seuls. En rentrant travailler demain, Mylène aura peut-être besoin de quelque chose dans la remise. Seront-ils encore vivants? Si oui, est-ce qu'elle va essayer de les sauver, ou va-t-elle faire comme ils font à la campagne devant une portée non désirée: les lancer l'un après l'autre contre un mur ou une grosse pierre?

Ce n'est pas mon problème. J'en ai déjà assez comme ça. Et je préfère penser que les chatons seront donnés à des enfants des environs qui trouveront sûrement des tas de manières originales de leur rendre la vie intolérable.

La chatte – une grosse rousse tigrée – miaule. Elle a compris que je la force à abandonner ses petits. Elle n'est pas d'accord, mais me laisse faire. Je la comprends. On a beau aimer les bébés, quand on en a sept d'un coup, on n'est pas fâchée d'en être débarrassée. Si je n'avais mes problèmes de voix, j'essaierais de la rassurer. Je lui expliquerais que je

vais lui éviter de passer des semaines à nourrir ses
petits. Et que grâce à moi elle ne se fera plus jamais
engrosser par un de ces salauds de matous qui tirent
leur coup en deux secondes et se sauvent sans s'in-
quiéter d'avoir mis la chatte enceinte.

La mère miaule à fendre l'âme quand nous entrons
dans la cabane. Je l'amène sans plus tarder au micro-
ondes et je la pousse dedans. J'examine les différents
boutons : PUISSANCE, RÉCHAUFFER, BREUVAGE,
DÉCONGÉLATION, POIDS... Sur lequel j'appuie? Ce
serait bien s'il y avait un cycle SÉCHAGE CHAT...

Misère! Ça frappe à la porte d'entrée. Je rabats la
couverture sur le bébé et je vais d'abord demander,
en collant ma bouche contre la porte :

— C'est qui?

— C'est Mylène. Faut que je vous parle.

Je jette un coup d'œil derrière moi pour m'assurer que le bébé est invisible d'ici. Il est caché par la
cloison qui sépare le lit de la garde-robe. J'entrouvre
la porte. C'est bien Mylène, avec une autre fille,
plus jeune celle-là. Dans les seize ans, je dirais, mais
aujourd'hui les filles de quatorze ans ont l'air d'en
avoir seize si ce n'est dix-huit. Ce qui lui donnerait
aussi peu que douze ans. On dirait qu'elles veulent
entrer. Je leur bloque le chemin. C'est ma cabane,
même si je n'ai rien payé. Mylène n'insiste pas et me
présente l'autre fille :

— C'est ma cousine Éliane. C'est parce qu'elle a
eu un bébé, avant-hier. Pis elle voulait pas le garder.
C'est à cause de son beau-père. Je peux pas tout
vous dire.

Inutile, j'ai compris : le mec de la mère de la petite l'a sautée à répétition et lui a fait un bébé. Elle a réussi à cacher qu'elle était enceinte en faisant semblant de se bourrer de chocolat pour faire croire qu'elle prenait simplement du poids. Pas question de garder le bébé. La mère de la fille ne serait pas contente. Le père du bébé, encore moins. Mylène poursuit :

— Pis moi, comme je vous avais rencontrée au bar, je trouvais que vous étiez quelqu'un de comme il faut. Pis comme vous m'aviez dit que votre fille allait accoucher mais que vous lui parliez jamais, pis que vous saviez même pas où, j'ai écrit la carte de Noël avec le panier que je vous ai mis à votre porte. Ce matin, je suis passée pour voir si tout avait l'air correct…

Je cligne des yeux avec étonnement. Cette fille essaie de me faire croire que mon petit-fils n'est pas mon petit-fils ? Il serait sorti du ventre de cette petite conne et non de celui de ma conne de fille à moi ? Je ne sais pas si c'est vrai ni ce que ça change, mais je réponds à tout hasard par une question :

— Quel panier ?

— Bien, le panier. Comme un panier à pique-nique.

— Pas vu de panier.

J'essaie de gagner du temps. Parce que je soupçonne les filles d'être venues me voir pour s'emparer du bébé. Et plus j'y pense, plus je me dis que je ne vais laisser personne m'enlever mon bébé. On me l'a confié. Il est à moi. Je le garde.

Rien ne prouve que Mylène me dit la vérité. La nuit dernière, elle a pu voir le panier devant ma porte. Elle a regardé dedans, a vu ce qui lui a semblé être un adorable petit bébé et elle a lu la note. Elle ne peut pas avoir d'enfant. C'est de plus en plus fréquent, paraît-il, avec la pollution, le réchauffement de la planète, le gaz de schiste et les sables bitumineux. Elle y a réfléchi et a cherché un moyen de me voler celui-là. C'est peut-être son amoureux qui est stérile sans le savoir même s'il la saute trois fois par jour. Si elle arrive avec un bébé, ça va le calmer. Ou bien elle veut demander une rançon. Ou le vendre à des Américains. Il lui a fallu un bon bout de temps pour inventer une histoire et trouver une complice. Parce que ça ne peut pas être son bébé à elle : je l'ai vue hier soir et elle n'était pas plus enceinte que le rocher Percé. Et les voilà qui veulent me subtiliser mon petit-fils. S'imaginent-elles que je ne veux pas le garder ? Je ne vais pas me laisser faire. Rock est à moi, à personne d'autre.

— Le panier avec le bébé, s'obstine Mylène. Pis là, Éliane a décidé qu'elle veut le garder, son bébé. Pas vrai, Éliane, que tu veux le garder ?

La pauvre Éliane a les larmes aux yeux. Elle hoche la tête pour me montrer que oui, elle veut son bébé. C'est une menteuse de première classe. Les filles d'aujourd'hui ambitionnent toutes d'être des actrices, pas des mères de famille ou des vendeuses chez Walmart, et elles s'exercent en inventant des mensonges abracadabrants. Je parie qu'Éliane fait de l'improvisation, à l'école, pour apprendre à mieux mentir.

— Ça fait qu'on est venues le chercher, conclut Mylène. Je vas l'aider à le cacher.

— Ça, c'est pour votre trouble, ajoute Éliane en me tendant deux billets de vingt dollars. Je sais que c'est pas grand-chose, mais c'est tout ce que j'ai.

Là, je suis scandalisée, rien de moins. Une fille qui vient d'avoir un enfant ne peut pas être prête à payer pour le racheter quelques heures plus tard, alors justement qu'elle aurait des tas de choses à acheter pour s'en occuper convenablement, surtout si ce sont vraiment ses derniers billets. Une preuve de plus que ce n'est pas le sien. Et puis, un bébé, ça vaut sûrement cent fois plus que quarante dollars canadiens. En le revendant, elle va faire un profit exorbitant. Usuraire, je dirais. Je ne peux pas la laisser faire. Je donnerais le bébé à n'importe qui, mais pas à elle. Et encore moins à sa copine Mylène si c'est à elle que le bébé est destiné.

Je rechuchote :

— Quel bébé ?

— Celui dans le panier avec le bébé dedans, persiste Mylène. On l'a mis devant votre porte vers trois heures du matin. Avec des biberons, pis des couches, pis tout ce qu'il faut. C'était comme un panier à pique-nique…

— Oui, c'était un panier à pique-nique avec une nappe rouge et blanche, comme pour un pique-nique, renchérit l'autre comme si je n'avais jamais vu un panier à pique-nique de toute ma vie.

— Pas vu de panier.

Leur description du panier confirme ce que je pense : elles sont venues voir le panier pendant la nuit avant de concocter leur histoire. Elles se taisent un petit moment, semblent chercher des arguments pour me convaincre. Mais comment peut-on reprendre un bébé de quelqu'un qui répète ne pas en avoir vu? Je décide de forcer ma voix encore un peu. Il faut ce qu'il faut.

— Ça doit être les Français.

— Les Français?

— Les Français aussi, ils manquent de bébés à adopter. Surtout un garçon, aussi bien le prendre si personne a l'air de le vouloir. Ils ont dû l'entendre pleurer.

Les deux filles semblent gober mon histoire, car elles ne connaissent rien des difficultés qu'on peut avoir à traverser une frontière avec un bébé sans passeport. Cela les plonge dans une excellente imitation de consternation profonde.

J'essaie de les rassurer:

— Au moins, c'est beau, la France. C'est mon pays préféré.

Éliane ne peut pas savoir que je n'y ai jamais mis les pieds. Elle se met à pleurer pour de bon. Mylène la serre dans ses bras. Formidables comme actrices dans les rôles de la mère qui s'est fait voler son bébé et de sa meilleure amie. Je m'apprête à leur fermer la porte au nez:

— J'ai mal à la gorge, pis je veux pas attraper froid.

Mais avant que j'aie eu le temps de fermer la porte, un bruit se fait entendre derrière moi. Un instant, je pense que c'est Rock. Non: c'est la chatte, qui miaule dans le four, loin de sa marmaille.

— C'est la chatte, je lui donne à manger.

— Vous êtes pas obligée, mais vous êtes bien fine pareil, murmure Mylène.

Elles repartent tristement, sans insister pour examiner l'intérieur de ma cabane, ce qui prouve bien que ce n'est pas leur bébé. Si ce l'était, elles seraient plutôt contentes, parce que, si le bébé est adopté par des Français, c'est mieux que par des Américains. Au moins, on va parler sa langue, là-bas. Et puis des Français qui payent des milliers de dollars pour se geler les couilles en motoneige, ça ne peut pas faire autrement qu'être des riches. Elles s'en vont sans rien dire, préférant sans doute chercher une autre arnaque pour occuper leur temps des Fêtes.

Je retourne au micro-ondes. La chatte miaule encore. J'appuie sur le bouton le plus gros, en me disant que ce doit être celui qui fait cuire le plus rapidement. Erreur : c'est celui qui fait ouvrir la porte. Et la chatte saute par terre, se précipite vers la sortie, s'assoit devant la porte fermée, tourne la tête vers moi, lance un long hurlement plaintif.

— Mais oui, ma belle, tu vas les revoir, tes petits, lui dis-je pour la rassurer.

Ça donne des résultats, puisque la chatte renonce à sortir et saute sur le lit. Elle s'allonge près de Rock, pose une patte sur lui, comme si elle voulait le protéger. Pas question que je laisse cette amitié se développer.

Il reste encore les deux boîtes de lait. C'est le lait de Rock, pas du lait pour les chats. Mais il y en a plus que nécessaire. Je prends l'ouvre-boîte dans le tiroir de la cuisinette, je verse un peu de lait dans un bol que je dépose par terre.

— Viens, Ma Grosse.

Ma Grosse, c'est le nom que je vais lui donner. Pas très gentil comme nom, surtout qu'elle n'est pas si grosse. Plutôt efflanquée. Molle, je dirais, avec son ventre qui traîne ses mamelles par terre. Mais je ne peux pas l'appeler Ma Molle. Va pour Ma Grosse.

Elle boit avidement, vide le bol en moins d'une minute, miaule pour en réclamer d'autre.

— Assez, c'est assez.

Elle a compris qu'elle n'en aurait pas plus. Elle saute sur le lit, s'étend près de Rock. Si j'étais sentimentale, je croirais qu'elle me prend pour la mère de Rock et veut me faire comprendre que nous avons chacune notre progéniture, que je devrais m'occuper de la mienne et la laisser prendre soin de la sienne. Je murmure, pour la détromper :

— Tu sauras que je suis même pas sa grand-mère.

Ce n'est pas vrai, mais ça ne change rien. Quelles que soient sa mère et sa grand-mère, ce pauvre petit est voué à une vie misérable – plus misérable que celle de la majorité des habitants de la planète, ce qui n'est pas peu dire. Le plus pauvre des bébés chinois a un père et une mère pour s'occuper de lui, plus deux grands-pères et deux grands-mères qui n'ont rien d'autre à faire. Lui, il n'a que moi.

Je me penche sur le lit, je reprends la chatte. Elle se laisse faire. Je la ramène au coin-cuisine. Mais dès que je rouvre le micro-ondes, elle sort ses griffes, m'égratigne le bras, saute pas terre et court se réfugier sous la table.

Me voilà à genoux. Je réussis à l'attraper par la queue. Elle proteste et lance des cris hargneux. Ça réveille Rock qui se met à pleurnicher.

— Ça suffit, là.

Je m'empare de Ma Grosse, je l'amène au coin-cuisine en la tenant fermement par les quatre pattes. Elle accepte de retourner dans le micro-ondes. On l'a laissée sortir vivante une fois, pourquoi pas deux?

Il y a une lampe dans l'appareil, qui reste allumée même quand on ferme la porte. Le contraire des frigos.

Cette fois, au diable les cycles de réchauffement ou de décongélation. Je me contente des boutons du temps de cuisson. Pour dix minutes, c'est une fois un, puis trois fois zéro. J'en rajouterai si nécessaire. J'appuie sur le bouton MARCHE/ARRÊT. L'appareil se met à ronronner et l'affichage indique 09:59, 09:48... Ma Grosse s'est mise à tourner. Elle décide de marcher en sens inverse de la rotation du plateau pour m'observer par le hublot. Je sais que je devrais m'éloigner. Je n'ai pas du tout envie de voir ça. Ma Grosse miaule, mais je l'entends à peine parce que ses cris sont couverts par le bruit de l'appareil. Elle se frotte une oreille avec une patte. Puis l'autre, avec l'autre patte de devant. Elle s'assoit et se laisse tourner sans bouger. Elle s'étend en rond sur le plateau tournant comme pour dormir. Ça ne marche pas, les micro-ondes! Ça endort les chats, ça ne les tue pas. Je tends la main vers le bouton ANNULER, mais je n'ai pas le temps d'appuyer. Ça explose. En une seconde, la vitre est recouverte, de l'intérieur, d'une épaisse couche de liquide rouge.

En attendant la fin des dix minutes, je vais m'occuper du petit, parce qu'il s'est remis à pleurer, comme si je n'avais que ça à faire, le nourrir et le torcher. Mon petit-fils se conduit déjà comme un enfant-roi. Il se prend pour un Chinois, ma foi. Le biberon le fait taire. On commence à bien s'entendre, tous les deux. Je me sens plus obligée que jamais de lui épargner cette chienne de vie.

Dès qu'il sera rendormi, il faudra que j'examine le contenu du micro-ondes pour m'assurer que les restes du chat sont vraiment méconnaissables. Idéalement: pulvérisés. Est-ce que je vais nettoyer l'intérieur? Pas la peine. Je vais enlever les plus gros morceaux s'il y en a encore. Puis j'y mettrai Rock. Quand tout sera terminé, il faudra que je fasse disparaître tous les restes – les siens et ceux du chat. Je vais tout jeter dans les toilettes et s'il y a des morceaux qui ne passent pas je vais les fourrer dans un des sacs-poubelles qu'il y a sous l'évier et j'irai les déposer quelque part entre Percé et Montréal, mais le plus loin possible d'ici. À Drummondville, peut-être. Dans un grand conteneur à ordures à côté d'un restaurant. Mieux: d'un hôpital. C'est facile à trouver: il suffit de suivre les panneaux verts avec des grands H. Ils doivent avoir des poubelles, eux aussi, et y jeter des restes humains. Des reins remplacés par des greffes, par exemple. Ou des tumeurs enlevées. Il faut bien s'en débarrasser. Des restes d'enfant et de chat mélangés à tout ça, ça n'attirera pas l'attention des éboueurs.

Le panier? Je peux le brûler dans la cheminée. Les boîtes de lait, les biberons, les vêtements, les couches sales, tout ça je vais le mettre dans un autre sac-poubelle, que je jetterai ailleurs sur ma route, mais pas avec les restants du chat et de Rock.

Le micro-ondes, à bien y penser, il va falloir que je le nettoie. À grande eau dans la douche. À moins que je l'emporte avec moi? Non: ça va alerter Mylène, qui va donner à la police mon nom et la description de la voiture de Francine en jurant que je suis une voleuse de micro-ondes. Si j'ouvre le four et que je laisse couler dessus de l'eau chaude dans la douche pendant une demi-heure, il ne peut pas rester de traces de sang. Je suppose qu'il ne sera plus en état de marche, mais on ne s'en apercevra pas avant les premiers clients de l'été et on ne fera pas le lien avec moi.

Sauf que de penser à la police me fait justement penser à la police.

Et je me demande ce que font les filles, en ce moment.

Je les imagine parfaitement chez Mylène en train de fomenter un nouveau complot pour s'emparer de mon bébé. Si, comme je le pense, Mylène est incapable de concevoir un bébé, elle n'a pas d'autre choix que d'en voler un. Il y a des femmes qui paient des milliers sinon des centaines de milliers de dollars pour une fertilisation *in vitro*, si c'est comme ça que ça s'appelle. Mylène n'a pas le budget de Céline Dion. Pour elle, le seul moyen d'obtenir un bébé, maintenant que l'adoption internationale est aussi hors de prix que l'*in vitro*, c'est de me prendre le mien. Et si Rodrigue lui a parlé de mon passé, ça lui sera facile de faire croire que c'est moi qui ai volé le bébé de sa copine.

Je les imagine toutes les deux dans un poste de police en train d'expliquer que leur bébé a été kidnappé par une méchante récidiviste de Montréal et qu'il faut absolument l'arrêter avant qu'elle reparte avec sa Lada et disparaisse à jamais.

Qu'est-ce que la police va faire? Probablement leur dire de revenir demain, parce que le jour de Noël ils sont trop occupés, d'autant plus que tous les agents sont à la maison pour fêter avec leur famille. Ils ont bien le droit, eux aussi.

Mais ce n'est pas sûr. Peut-être qu'elles vont tomber sur un agent cousin de Mylène ou d'Éliane. Tout le monde est le parent de tout le monde à la campagne. Ou un ancien amoureux. Dans les petits villages, tout le monde couche avec tout le monde. Et ils vont envoyer quelqu'un faire enquête au Point du jour.

Les agents viennent toujours à deux et ils vont insister pour entrer dans ma cabane. Est-ce que j'ai le droit de refuser, s'ils n'ont pas de mandat de perquisition? Je crois que oui. Mais cela ne ferait qu'attiser leurs soupçons.

Je pourrais me sauver tout de suite avec la voiture et le panier. Mais là encore, c'est m'avouer coupable d'enlèvement. Je serai arrêtée avant la tombée de la nuit parce que c'est sûrement la seule Lada jaune à rouler sur la 132. Et c'est la seule route pour sortir de la Gaspésie.

Il vaut mieux rester ici pour les attendre. Les innocents ne bougent jamais.

Quand vont-ils arriver ? Je n'en ai pas la moindre idée. S'ils sont très occupés, j'ai le temps de mener mon plan à bon terme. Y compris baptiser Rock. Mais il ne neige pas – et il n'y a aucune raison de croire qu'ils sont aussi débordés qu'ils le prétendent. Ils pourraient être ici dans cinq minutes ou même avant. Il faut que je me dépêche de cacher le bébé et le panier.

Où ?

Commençons par Rock. Je regarde autour de moi. La police va sûrement fouiller la garde-robe et la salle de bains. Ouvrir tous les tiroirs de la commode. Regarder sous le lit. Et jeter un coup d'œil dans la boîte à bois, même si on ne peut pas soupçonner qu'un enfant soit caché dans une boîte à bois.

Mais vont-ils la vider ?

Si je mets Rock dans le fond, avec du bois par-dessus, est-ce qu'ils vont se donner la peine d'enlever toutes les bûches pour chercher un enfant en dessous ? Il faudrait que je tombe sur les policiers les plus zélés de la planète pour qu'ils en aient l'idée.

Évidemment, si Rock se met à pleurer, on va l'entendre, mais ce sera le cas peu importe où je le cache – même dehors. De toute façon, il vient de vider son

biberon, et sa couche me semble propre. Il n'a aucune
raison de pleurer. Je sais qu'un poupon n'a pas besoin
de raison pour ça, mais je n'ai pas le choix.

J'ouvre le couvercle de la boîte à bois. À moitié
pleine. C'est parfait. J'enlève les bûches les plus
légères. Je dépose Rock sur les bûches du fond et
j'empile délicatement les petites bûches par-dessus.

Le voilà bien caché.

Le panier, maintenant?

Ça, c'est plus facile. Je n'ai qu'à le mettre dehors,
sous la fenêtre. Si on le trouve, rien ne prouvera que
c'est moi qui l'ai mis là. Ce pourrait être un motoneigiste français kidnappeur d'enfant qui l'aurait
déposé près de ma cabane pour faire porter les soupçons sur la seule cliente du Point du jour.

Je remets dans le panier tout ce que j'en avais
sorti. Cela comprend les couches souillées, les lingettes sales, les biberons, la boîte de lait presque vide
et la pleine. Il n'y manque que le bébé et la combinaison qu'il a sur lui ainsi que le biberon que je lui
ai mis au bec, au cas où il aurait une petite fringale.

J'ouvre la fenêtre, je descends le panier au bout de
mon bras, je le lâche dans la neige. Il a parfaitement
l'air d'un panier abandonné là par quelqu'un qui ne
logeait pas dans la cabane.

Je ferme la fenêtre. Il ne me reste plus qu'à
attendre les policiers. S'ils n'arrivent pas d'ici une
heure ou deux, je passerai à la dernière étape de mon
plan: Rock au four.

Justement, le micro-ondes vient de sonner. Je
mets encore dix minutes de temps de cuisson pour

m'assurer que Ma Grosse sera éliminée et réduite en bouillie.

Mais ça refrappe à l'entrée.

6

JE DEMANDE À TRAVERS la porte, de ma voix la plus geignarde possible, ce qui n'est pas difficile parce que ma laryngite se porte mieux que jamais :

— C'est qui ?

— Police, fait une voix d'homme. On a juste quelques questions à vous poser.

— Une minute, je m'habille.

Je fais des yeux le tour de l'intérieur de ma cabane. Rien d'anormal. Personne ne peut supposer qu'un nouveau-né a passé quelques heures en cet endroit. Je soulève seulement le couvercle de la boîte à bois pour m'assurer qu'on verra instantanément qu'il n'y a que des bûches là-dedans.

Je tire le verrou. Deux policiers sont là. Tout jeunes, un gars et une fille. Je suppose que c'est comme les médecins : on envoie les débutants à la campagne parce que les plus anciens préfèrent travailler en ville près des boîtes à la mode. Derrière eux, je distingue Mylène et sa prétendue cousine.

— Excusez-nous, madame, fait la policière. Mais ces jeunes filles disent qu'elles ont déposé un panier à votre porte, et qu'il y avait un bébé dedans.

— Ça se peut, mais je l'ai pas vu, le panier. Le bébé non plus.

— Elles disent aussi que vous leur avez dit que c'est les Français qui l'ont pris parce que c'est un garçon.

Je hoche la tête. Oui, j'ai dit quelque chose comme ça.

— Ce qui les chicote, c'est que vous pouviez pas savoir que c'est un garçon, si vous avez pas vu le bébé.

Là, je dois dire que les filles marquent un point. Je dirais même qu'elles m'épatent. Est-ce que j'ai vraiment dit que Rock est un garçon? Je n'en suis pas absolument sûre. Mais c'est possible.

— Moi, je disais ça comme ça. Y a toujours une chance sur deux pour que ça en soit un.

— C'est ce qu'on a pensé. Ça vous dérangerait, si on jetait un coup d'œil à l'intérieur? demande le policier.

Oui, ça me dérangerait. Mais si je réclame un mandat, ils vont en trouver un. Le jour de Noël, le juge en a sûrement signé d'avance toute une pile pour éviter de se faire déranger pendant qu'il dépèce la dinde farcie ou vide sa bouteille de scotch. J'aime mieux les laisser entrer pendant que Rock dort. Dans

une heure ou deux ou dans dix minutes, il risque
de se mettre à pleurer. En plus, ça m'étonnerait que
je puisse m'enfuir pendant qu'ils courent chez le
juge : un des deux agents va rester dans ma cabane
ou devant ma porte en attendant le retour de l'autre
avec le mandat.

Comme je ne dis rien, les deux filles se précipitent
pour entrer.

— Vous deux, vous restez dehors, ordonne la
policière.

Je m'écarte pour laisser entrer les agents qui fer-
ment la porte au nez des filles. Comme prévu, ils
ouvrent d'abord la garde-robe de l'entrée. Pas de
bébé.

Ils s'avancent dans la pièce. Rien d'anormal. Rock
dort toujours. Et j'ai eu le temps de replacer les oreillers comme il faut sur le lit.

La policière ouvre les armoires de la cuisine.
Toujours rien. Le policier sort complètement les
tiroirs de la commode, les renverse, tire ensuite la
commode tout entière pour voir derrière, regarde
même sous les coussins des deux vieux fauteuils,
comme si un bébé pouvait être aplati comme un
Pop-Tart oublié dans le fond d'un sac à main.

Tandis qu'il remet tout en place, la policière va
dans la salle de bains, regarde dans la douche et dans
l'armoire sous le lavabo, revient, fait encore deux
pas, puis y retourne.

— Pas de bébé, dit-elle sur un ton que j'inter-
prète comme « Les petites connes nous ont inventé
une histoire. »

J'essaie de trouver une raison à leur donner, pour laquelle deux filles raconteraient qu'elles ont abandonné un bébé devant une porte sans qu'il y ait de vrai bébé, mais je ne trouve que des explications trop longues pour ma laryngite. Aussi bien me taire.

Ils refont le tour de la salle de bains, puis de la pièce, vident entièrement la garde-robe de son contenu : ma valise et mon manteau. Ils ont un regard rempli d'espoir en ouvrant la valise. Ils ont beau la retourner sur le lit, il n'y a que mes vêtements et sous-vêtements, pas de bébé. Ils retournent dans le coin-cuisine, examinent l'intérieur du demi-frigo. Toujours pas de bébé. Dans la corbeille non plus. Que la bouteille de Southern Comfort.

Je retiens mon souffle quand la policière songe enfin à soulever le couvercle de la boîte à bois. Elle ne voit que des bûches et ne se donne pas la peine de regarder en dessous. Rock dort toujours. Elle referme le couvercle.

Je commence à respirer. L'agente s'approche du micro-ondes, le toise un moment en se demandant si un bébé pourrait y entrer. Le moteur ronronne toujours. On ne voit rien à travers la vitre à cause du sang qui la recouvre, mais on pourrait croire qu'il n'y a tout simplement pas de lampe à l'intérieur. Ou que l'ampoule est brûlée.

— C'est mon souper que je réchauffe.

Elle se tourne vers son collègue debout, bras croisés au milieu de la pièce. Il a visiblement renoncé à chercher plus longtemps.

— Je vois pas de bébé ici, conclut-elle en faisant un pas vers la sortie.

C'est ce moment que choisit le micro-ondes pour annoncer que mon souper est prêt. Les dix minutes sont écoulées. Je ne bouge pas, comme si j'avais hâte que mes invités s'en aillent pour passer à table.

Mais le policier a un sursaut de curiosité. Il s'approche du micro-ondes, l'ouvre et le referme aussitôt, mais pas assez vite pour empêcher un déluge de sang noir et peut-être aussi de morceaux de chair et d'os, parce que je suis trop loin pour bien voir. Et je n'ai aucune envie de m'approcher.

— Je l'ai trouvé, dit-il.

La fille vient le rejoindre, met une main sur sa bouche pour retenir l'envie de vomir.

— C'est un monstre, ajoute le gars.

Je m'abstiens de le contredire : ce n'est pas un monstre, c'est un chat. Puis je comprends que c'est de moi qu'il parle. Il faudra que je leur explique qu'au contraire, j'ai voulu éviter que le bébé ait une vie misérable avec sa mère junkie, qui aurait élevé son enfant avec l'aide sociale des mères célibataires, trop petite pour élever autre chose que des futurs assistés sociaux, et qui se serait jetée dans les bras de n'importe quel type résigné à partager sa vie et ses allocations familiales. Le plus souvent, ce genre d'hommes, ce sont d'abominables drogués pédophiles. Ce sont eux, les monstres : la mère, les mecs. Pas moi. D'autant plus qu'à bien y penser je n'ai tué qu'un chat, pas un bébé.

Mais c'est à eux de le prouver, pas à moi.

— J'appelle l'identité judiciaire, dit le policier après une bonne minute à retrouver ses esprits en regardant dégouliner le jus de chat qui s'obstine à dégoutter de façon répugnante sous la porte fermée, que j'aurais imaginée beaucoup plus étanche, avec ces saloperies d'ondes dangereuses pour la santé.

— Occupe-toi-s'en. Moi, je vas parler aux filles, dit la policière en rotant. Faut surtout pas les laisser entrer.

— Vous, vous restez là et vous touchez à rien, m'ordonne le flic.

Je veux bien. Je n'ai pas du tout envie de toucher aux restes du chat. Ça a beau n'être qu'un chat, il a quand même fait un sacré bordel dans le micro-ondes. Les spécialistes qui vont arriver de je ne sais où, je ne sais quand – sûrement d'aussi loin que Gaspé, donc pas avant une heure – vont peut-être voir que ce n'est qu'un chat, s'il y a des restes de fourrure ou des os trop petits (ou trop gros) pour être ceux d'un bébé naissant. Mais ça peut leur prendre du temps pour s'en apercevoir. Et tant qu'ils ne sauront pas que c'est un chat, les agents vont cesser de chercher Rock.

La policière est sortie. J'entends des cris et des pleurs à travers la porte. Des menaces, aussi :

— Ma maudite, je vas te tuer !

Je crois que c'est la voix de la cousine de Mylène, qui continue son cirque de fille-mère à laquelle on a volé son enfant. J'entends ensuite la policière qui lui déconseille, d'un ton à la fois ferme et doux, de faire des menaces de mort, en ajoutant qu'elle la comprend parfaitement et que si elle était à sa place elle penserait la même chose, mais elle ne le dirait pas, surtout pas devant des agents de police.

Je n'en ai pas pour longtemps avant que le policier revienne. Je suppose qu'il est au téléphone dans sa voiture et qu'il essaie de convaincre ses collègues au poste que ce n'est pas une blague, on est le jour de Noël, pas le premier avril : une femme a fait cuire un bébé dans un micro-ondes.

Et je n'ai pas à réfléchir longtemps sur la marche à suivre : il faut que je m'enfuie. Avec Rock. Que la cousine de Mylène menace de me tuer en apprenant que son prétendu bébé est mort n'est pas de bon augure. Si la policière n'était pas si jeune, elle songerait elle aussi qu'une vraie mère aurait d'abord de la peine que son enfant soit mort, bien avant de vouloir se venger de la personne qui l'a tué.

J'ouvre la fenêtre. Le soleil est presque couché. Le rocher, au loin, n'est plus qu'une masse grise. L'obscurité va m'aider à me sauver.

Je mets mes bottes et mon manteau. Je vais à la boîte à bois. Rock dort toujours, mais il se réveille dès que je le prends dans mes bras. Il gémit.

— Tchut, tchut, tchut, je fais doucement et il obéit, esquisse une imitation de sourire qui me rassure sur la décision que je viens de prendre.

J'ajoute :

— Tu es un bon bébé. Oui, je te jure, un bon garçon.

Je ne sais pas s'il me croit. Je grimpe sur la chaise. Je parviens à enjamber le cadre de la fenêtre sans échapper le bébé. Je saute en espérant que je ne me ferai pas une entorse.

Sans avoir lâché Rock, me voilà par terre, les deux pieds dans la neige, à côté du panier. Je le prends, ou pas? Je fais mieux de ne pas m'en encombrer. Des couches, des biberons, du lait, je peux trouver ça dans n'importe quelle pharmacie, même le jour de Noël.

Je fais quelques pas jusqu'au bout du mur de la cabane et je jette un coup d'œil de l'autre côté. À cent ou deux cents mètres, le policier est assis dans sa voiture aux gyrophares allumés. La policière a les mains pleines. De l'une, elle essaie de consoler la soi-disant mère qui s'est affalée dans ses bras. De l'autre, elle retient par son blouson Mylène qui voudrait retourner à la cabane pour me faire un mauvais parti.

La Lada est à côté de la voiture de la Sûreté du Québec. Impossible d'y monter sans que le policier me voie. Et peut-être que les pilules ont endommagé le moteur. J'aurais l'air de la dernière des tartes si le moteur refusait de démarrer. Un peu plus loin, il y a la Honda de Mylène. Mais je ne vois pas de vapeur sortir du tuyau d'échappement. Elle n'a pas laissé la clé dans l'allumage. De toute façon, je ne pourrai jamais m'y rendre sans être vue.

Il n'y a qu'une autre voie pour fuir : l'escalier. Je peux descendre sur la glace et ensuite marcher le plus loin possible en longeant la rive vers l'ouest. La route redescend de ce côté-là et se rapproche de la mer, là où la falaise disparaît et fait place à la plage de sable. Je monterai sur la route pour faire signe à un automobiliste de me prendre. S'il écoute la radio, je l'éteindrai dès que je serai à bord, sous prétexte que ça va déranger le petit. Parce que ça ne sera pas bien long avant qu'on annonce qu'une femme s'est enfuie après avoir fait cuire un bébé au micro-ondes. Je ne suis pas sûre que le fait d'avoir un bébé avec moi suffira à écarter les soupçons d'un automobiliste quelque peu perspicace, surtout si on annonce que ça s'est passé au Point du jour, tout près, et la radio ne se donnera pas la peine de préciser qu'il n'y avait au départ qu'un bébé, pas deux. Mon conducteur pourra penser qu'il y avait des jumeaux, et s'il me prend pour une folle, il va croire que j'en ai tué un et épargné l'autre, pour des raisons que seules des folles peuvent imaginer.

Avec un peu de chance, mon automobiliste ne soupçonnera rien et me déposera à Rimouski ou à Québec s'il va si loin. Et je trouverai où nous loger, Rock et moi, dans un motel ou un gîte du passant, en donnant un faux nom. Avec encore plus de chance, ça va prendre quelques jours avant qu'on découvre que le bébé mort est un chat et qu'on lance des recherches pour une femme avec un bébé. À moins que la chatte soit tellement réduite en purée qu'on continue à penser que c'est le bébé, et alors on va chercher une femme seule, peut-être avec un chat si Mylène s'est aperçue que Ma Grosse a disparu.

Parce que j'ai changé d'avis : je vais le garder, mon petit Rock. Vivant. Ça ne peut pas être un hasard s'il a été épargné au moins deux fois aujourd'hui :

d'abord sur la glace à cause des Français au belvédère, puis par l'arrivée des policiers juste avant de
passer au micro-ondes. Dieu veut qu'il vive. Ce ne
sera pas facile pour moi, mais c'est un bon bébé, qui
ne pleure pas trop, en tout cas pas tout le temps. De
toute façon, je ne prendrai jamais l'avion avec lui.

Finalement, mieux vaut que ce soit moi qui
l'élève, plutôt qu'une pimbêche de la campagne, trop
tarte pour se faire un bébé toute seule. C'est pourtant
facile : on baise pendant deux ou trois mois avec un
type, de préférence tous les jours pour ne pas rater
les périodes fertiles. Si ça ne donne rien, on en essaie
un autre, puis un troisième ou un quatrième jusqu'à
ce que ça marche. Oui, on risque d'attraper le sida,
mais qui ne risque rien n'a rien.

Donc, pas question que j'abandonne Rock à
Mylène ou à sa cousine. Elles n'ont qu'à s'en faire
faire, des bébés, si elles en veulent. Moi, j'ai passé
l'âge.

Je vais être une bonne grand-mère. Je n'étais
d'ailleurs pas une mauvaise mère, le temps que ça a
duré. La preuve, c'est qu'Alexandre est comptable.
Il a été bien élevé pendant les cinq premières années
de sa vie – les plus cruciales, tous les psys le disent.
Mieux élevé, en tout cas, que sa sœur que je n'ai pas
eue, elle, pendant ces années-là.

Oui, je sais que je suis trop vieille pour élever un
enfant, pas seulement pour le faire. Mais je suis en
bonne santé. Je me nourris bien quand je ne suis pas
prise à ne consommer que des Pop-Tarts. Au moins,
je suis la grand-mère de Rock. Les liens du sang, ça

n'est pas rien. Si jamais Rock a besoin de se faire greffer un rein ou autre chose qui doit absolument venir de la même famille, je suis prête à prendre des risques pour lui.

Si on m'arrête, je ne sais pas de quoi je peux être accusée. Pas d'enlèvement d'enfant, je suis sa grand-mère légitime et on me l'avait confié. J'ai seulement essayé d'éviter que ces deux filles me le volent. Si je m'enfuis, c'est parce que je crains que ce soit la parole de deux contre une. Surtout moi, avec mon passé, personne ne va me croire si je dis la vérité. J'aurais dû garder la carte avec l'écriture de ma fille. Si jamais on m'arrête, je pourrai toujours essayer de faire témoigner Véro, mais elle risque de dire que ce n'est pas son bébé à elle, pour éviter qu'on le lui refile si on m'envoie en prison ou si on me retourne Là-bas.

Qu'est-ce qui va se passer si le juge ne veut pas croire que Rock est mon petit-fils ? S'il préfère croire que c'est le fils de la cousine de Mylène ? Le procès va probablement se faire à Gaspé, et les juges de la campagne ont toujours un préjugé favorable pour les filles de leur région. En tout cas, pas pour les femmes de la ville, surtout de Montréal, même si j'ai été élevée à Val-d'Espoir, juste à côté de Percé.

Je serai condamnée pour enlèvement. Pas question de dire que je suis folle, cette fois. Ce faux kidnapping est tout à fait raisonnable, le fait d'une grand-mère qui veille sur sa descendance. Les psys n'arriveront jamais à faire croire au juge ou aux jurés que c'est le fait d'une démente.

Est-ce que la peine dépend de la durée de l'enlèvement? Il me semble que ça devrait. Un jour de
prison par jour d'enlèvement, ce serait parfaitement
logique. Si on m'arrête d'ici quelques jours, je n'en
aurai pas pour longtemps. Mais si c'est dans un an ou
dans dix, je ne suis pas sortie de l'auberge. Comme
preuve d'amour, Rock ne peut pas demander mieux.

Je continue à descendre les marches prudem-
ment, en me tenant d'une main à la rampe, mais
pas trop lentement, quand même. Je n'entends plus
les voix derrière moi. On m'imagine encore dans la
cabane. On va peut-être vouloir me garder enfermée
là jusqu'à ce que l'identité judiciaire arrive. Il y en a
pour une, deux ou trois heures. Surtout le jour de
Noël. Je ne sais pas qui sont ces gens de l'identité
judiciaire. Sont-ils tous en congé? Ça peut prendre
beaucoup de temps pour les amener ici. J'ai peut-
être plusieurs heures d'avance. Ou même jusqu'à
demain. Et la radio pourrait hésiter avant d'annoncer
une nouvelle pareille un jour comme aujourd'hui.
Ils vont tenir à vérifier que ce n'est pas un canular.
De toute façon, c'en est un, puisque c'est un chat qui
est là, pas un bébé.

Je serre Rock contre moi.

Il est éveillé, il me gazouille dans l'oreille. Ça ne
veut rien dire, mais ça ressemble à des mots d'amour.

Ce ne sera pas facile de vivre avec lui. Finies, les
soirées au Southern Comfort. Il faudra que je me
teigne les cheveux, que je perde du poids – ou que
je prenne cinquante kilos – pour que personne ne
puisse me reconnaître. L'idéal: me faire passer pour

sa mère. En me faisant teindre en blonde et farcir de Botox, je devrais en être aussi capable que n'importe qui. Ce sera un bon tour à jouer à la police qui cherchera une grand-mère lorsqu'ils auront découvert que c'est Ma Grosse dans le micro-ondes !

À bien y penser, j'ai bien fait de ne pas baptiser Rock. Je le ferai baptiser à l'église, mais pas au nom de Montour. Comme ça, j'aurai un extrait de naissance. Il pourra avoir une carte d'assurance maladie, aller à l'école, se marier un jour s'il en a envie, quand je ne serai plus là pour l'empêcher de faire des bêtises.

Je suis convaincue que Rock va me porter chance. Avec tout ce qu'il a évité aujourd'hui, c'est le plus chanceux des bébés. J'achèterai des billets de loterie en faisant semblant que c'est pour lui.

J'arrive à la dernière marche de l'escalier. Je jette un coup d'œil en haut : aucune silhouette au belvédère. On ne sait pas encore que je suis sortie de la cabane. Et le soleil a disparu. On ne pourra plus me voir dans la nuit noire.

Je m'avance sur la glace, en longeant la falaise. La glace est solide et toujours dégagée de neige par le vent. Je ne laisse pas de traces. On ne pourra pas voir de quel côté je suis partie.

C'est un peu glissant et j'ai parfois l'impression de m'agripper à Rock pour ne pas tomber. Je marche vers l'ouest, comme prévu. Un ou deux kilomètres encore, et nous serons au bord de la route, là où elle descend presque au niveau de la mer. J'essaierai de trouver un endroit où me cacher pour voir les voitures arriver de loin. Dès que j'en verrai une qui n'est pas de la police, je m'avancerai au milieu du chemin et je ferai de grands gestes de ma main libre pour qu'on s'arrête. Je dirai que je suis en vacances en Gaspésie, mais que je me suis querellée avec mon mari qui m'a plantée là avec mon petit-fils.

Mieux encore : avec mon fils.

1

J'ai déjà fait cent ou deux cents mètres. Je marche le plus près possible de la falaise pour être moins visible depuis le belvédère. De toute façon, la surface gelée rétrécit. Il y a une petite cascade à ma gauche, une source qui coulera sans doute tout l'hiver. L'eau disparaît par un trou qu'elle s'est fait dans la glace.

Tiens, j'entends des voix. Je pense qu'on m'appelle. En tout cas, ça ressemble à « Madame, revenez, c'est dangereux. » Ils me prennent pour une conne. La glace, c'est solide. À plusieurs endroits, sur certaines rivières, il y a des ponts de glace assez solides pour que des autos et même des camions puissent traverser.

Cela n'empêche pas la glace, alors que je passe devant la cascade, de craquer de façon sinistre. Pire encore, elle bouge sous mes pieds. Misère !

J'essaie de garder mon équilibre. Mais ce n'est pas évident. Un pan de glace se détache et bascule sous mon poids. J'ai juste le temps de déposer Rock sur la glace solide, de le pousser le plus loin possible. Je tombe sur le ventre et je m'accroche du bout des doigts au rebord de ce panneau de glace.

Pas de panique. Je n'ai que les jambes dans l'eau glacée. Il faut que je tienne bon. Avec un peu de chance, je me sortirai de là toute seule. Sinon, les secours vont arriver. Je n'en ai pas très envie, parce que ça va me causer des tas d'emmerdements. Je vais peut-être plaider la folie, une fois de plus. Avec le dossier que j'ai Là-bas, ça devrait marcher. De toute façon, je n'ai tué qu'un chat.

Finalement, ce serait bien s'ils me retournaient Là-bas. Je n'étais pas trop maltraitée : on me donnait à manger, on me faisait prendre mes médicaments tous les jours. Est-ce qu'ils me permettront de garder Rock si je le leur demande poliment ? Ça m'étonne-rait, parce qu'ils vont trouver toutes sortes de mau-vaises raisons, du genre « C'est pas un endroit pour les enfants, ici. » C'est ce qu'ils m'ont dit quand j'ai demandé si j'allais garder Véronique. Mais la société progresse. Surtout, ça coûte cher et ce n'est pas facile de trouver des gens pour élever des enfants. Peut-être qu'ils ont changé les règles.

N'empêche que j'aimerais mieux me sortir d'ici et repartir avec Rock. Ce ne sera pas facile. J'ai de l'eau jusqu'à la taille, maintenant. De l'eau glacée. À mon avis, de l'eau à moins de zéro, si ça existe. L'eau salée, ça ne gèle peut-être pas avant plusieurs degrés sous zéro. J'ai du mal à m'accrocher au bout de mon morceau de glace. Non seulement je n'ai pas de gants et la glace est coupante, mais mon glaçon est de plus en plus vertical. J'ai de l'eau jusqu'à la poitrine.

— Au secours!

Oui, je me suis résignée à appeler à l'aide. Mais ça ne changera rien parce que ma laryngite est à son apogée. Rock peut m'entendre, mais personne d'autre.

Pourtant, les voix se rapprochent. Lentement, comme si elles descendaient l'escalier en s'arrêtant à toutes les deux ou trois marches pour regarder de tous les côtés. Il vaudrait mieux qu'elles se dépêchent, parce que je ne pourrai pas tenir longtemps.

Il faudrait que Rock crie. Ça porte loin, les cris d'un bébé. Plus loin que les cordes vocales d'une femme qui a abusé du Southern Comfort la veille de Noël.

— Allez, pleure, Rock, pleure!

Ma voix est faible, mais il ne peut pas faire autrement que l'entendre. Il est à même pas deux mètres de moi.

— Rock, crie. Tu m'entends. Crie! De toutes tes forces. Vite!

Il s'obstine à ne pas crier. Tirée par le poids de mes bottes et de mes vêtements trempés, me voilà avec de l'eau par-dessus la tête. Dès que je vais la ressortir, je vais tout expliquer à Rock, ça ne peut pas faire autrement que le convaincre:

— Tu as peur que je sois pas capable de m'occuper de toi? Je suis pas folle du tout, tu sais. Ton grand-père, je l'ai tué pour une sacrée bonne raison. Que j'ai dite à personne, parce qu'on m'aurait envoyée en prison, pas Là-bas. Tu sais ce que Gerry m'a dit quand je lui ai annoncé que j'étais enceinte ? Il m'a dit : « Tu m'as pas trompé. Je faisais un trou dans nos capotes. Un tout petit trou d'épingle, pour que tu t'aperçoives de rien, mais juste assez gros pour laisser passer un ou deux spermatozoïdes. Puis ça a marché. Faut croire que j'ai des tabarnac de bons spermatozoïdes. » Puis là, il s'est remis à rire. Jusqu'à ce que je remonte avec ma poêle en fonte. C'était la seule chose raisonnable à faire. Tu aurais fait pareil, à ma place.

J'agite les pieds et je réussis à sortir la tête de l'eau. Pas de temps pour les longs discours. De toute façon, Rock s'en fiche, de cette histoire. Si son grand-père n'avait pas percé les capotes, sa mère n'existerait pas, et lui non plus. Mais ce n'est pas une raison pour ne pas m'aider.

— Rock, bordel de merde, cesse de faire le con. Pleure, crie, n'importe quoi, mais fais-toi entendre !

J'ai l'impression d'être une muette qui crie au pôle Nord. J'ai lâché mon bout de glace et je m'accroche au bord de la banquise. Mes doigts glissent et je me retrouve encore sous l'eau. Je réussis à sortir la tête encore une fois.

— Fais comme si on était dans un avion. Hurle, Rock !

Il ne pleure pas, ne crie pas. Je l'entends seulement gazouiller, le petit sacripant. J'essaie de hausser la voix. Mais je n'arrive même pas à rendre audible mon dernier « Rock, je te parle. »

— Gou !

Oui, il a fait un bruit qui ressemble à « Gou ». Qu'est-ce que ça veut dire, « Gou » ?

Je ne le saurai jamais. Les voix qui semblaient se rapprocher se sont tues. Ou bien elles s'éloignent. Comme si elles abandonnaient la partie, ou si elles m'imaginaient assez folle pour m'être sauvée de l'autre côté du Point du jour, pour passer par la route plutôt que par la mer.

À moins que j'aie tout simplement de l'eau dans les oreilles.

Je fais une dernière tentative pour amadouer mon petit-fils. J'ouvre la bouche pour dire gentiment « Je t'aime, Rock. » Mais il ne sort pas un son, parce que ma bouche est remplie d'eau salée. Et je n'ai plus que le temps de penser, une toute dernière fois :

J'HAÏS LES BÉBÉS !

Écrit à Koh Phangan et à Montréal, de janvier à novembre 2011.

Déjà parus

1- *ÉLISE*
Michel Vézina

2007   Science-fiction   91 pages
PDF   978-2-923603-38-4   7,99 $ / 4,99 €
ePub   978-2-89671-022-5   7,99 $ / 4,99 €
Papier   978-2-923603-00-1   10,95 $ / 7 €

Dans *Élise*, la conquête de l'espace est au centre de tous les espoirs. Élise et Jappy vivent en marge d'un monde qui a tué la dissidence. Élise a fait une connerie. Une grosse connerie. Jappy, amoureux fou, protecteur, capable de tout, risque sa vie pour elle et son salut. Il est même prêt à acquérir un statut social ! C'est tout dire…

2- *LA GIFLE*
Roxanne Bouchard

2007   Roman   106 pages
PDF   978-2-923603-39-1   7,99 $ / 4,99 €
ePub   978-2-89671-023-2   7,99 $ / 4,99 €
Papier   978-2-923603-01-8   10,95 $ / 7 €

Entre sa mère, sa petite amie, sa maîtresse et la mère de la jeune mariée, la joue du peintre François Levasseur se transforme en cible de choix pour une main vengeresse. *La gifle* constitue une leçon de vie exquise pour tous les giflés-nés, mais surtout un mode d'emploi incontournable pour les giflantes naturelles.

3- *L'ODYSSÉE DE L'EXTASE*
Sylvain Houde

2007   Roman noir   115 pages
PDF 978-2-923603-40-7   7,99 $ / 4,99 €
ePub 978-2-89671-024-9   7,99 $ / 4,99 €
Papier 978-2-923603-02-5   10,95 $ / 7 €

Un centre culturel underground de Montréal est la cible d'un tueur en série. Un enquêteur est chargé de l'affaire. Il sera le premier surpris de se découvrir une sexualité qu'il ne s'imaginait pas. Il plongera corps et âme dans les profondeurs de l'univers extatique qui s'ouvre à lui. Et il comprendra que sa vie ne sera jamais plus la même.

4- *LA VALSE DES BÂTARDS*
Alain Ulysse Tremblay

2007   Roman   108 pages
PDF 978-2-923603-41-7   7,99 $ / 4,99 €
ePub 978-2-89671-025-6   7,99 $ / 4,99 €
Papier 978-2-923603-03-2   10,95 $ / 7 €

Ils sont six. Ils sont jeunes, pour la plupart. Six voix, un seul destin : l'abandon. Ils sont tous les six en quête d'une vie et ils se croisent, fatalement. Un roman chargé de vérité, celle qu'on préfère ne pas regarder en face, même si elle se joue là, directement sous nos yeux, tous les jours…

5- *LES TERRITOIRES DU NORD-OUEST*
Laurent Chabin

2007   Roman   81 pages
PDF 978-2-923603-42-1   7,99 $ / 4,99 €
ePub 978-2-89671-026-3   7,99 $ / 4,99 €
Papier 978-2-923603-04-9   10,95 $ / 7 €

Avant, pour distraire les travailleurs, les compagnies organisaient des combats entre des hommes et des ours. Quand ils ont commencé à manquer d'ours, ils ont pris des chiens. Après, ils ont préféré inventer un monde. Parallèle, virtuel, un monde où tout le monde peut devenir tout le monde et se battre contre n'importe qui.

6- *PRISON DE POUPÉES*
Edouard H. Bond

2008   Roman noir   122 pages
PDF 978-2-923603-43-8   7,99 $ / 4,99 €
ePub 978-2-89671-027-0   7,99 $ / 4,99 €
Papier 978-2-923603-05-6   10,95 $ / 7 €

Une pénétration à vif dans l'univers
ensanglanté d'une prison pour femmes où
les prisonnières tentent de survivre aux
fantasmes d'une directrice et de sa meute,
toutes plus animées les unes que les autres
par le pire des instincts de sauvagerie.
Un roman décapant, à ne pas mettre entre
toutes les mains.

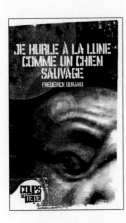

7- *JE HURLE À LA LUNE COMME UN CHIEN SAUVAGE*
Frédérick Durand

2008   Roman noir   88 pages
PDF 978-2-923603-44-5   7,99 $ / 4,99 €
ePub 978-2-89671-028-7   7,99 $ / 4,99 €
Papier 978-2-923603-06-3   10,95 $ / 7 €

Jacques Larivière, un prostitué mâle, se fait
proposer un contrat qu'il ne peut refuser.
Avec cinq collègues, il est invité à participer
à une orgie organisée par des gens très
importants. Protégés par une équipe de
fiers-à-bras, les grosses légumes vivent
leurs fantasmes, jusqu'à ce qu'un incident
vienne compromettre le plaisir, et que la vie
des invités ne soit soudain en danger…

8- *MARZI ET OUTCHJ*
Pascal Leclercq

2008   Polar   110 pages
PDF 978-2-923603-45-2   7,99 $ / 4,99 €
ePub 978-2-89671-029-4   7,99 $ / 4,99 €
Papier 978-2-923603-07-0   10,95 $ / 7 €

Le jour des funérailles de son mafieux de
père, Marzi hérite d'un travail pour lequel
il ne s'était jamais deviné de talent. Avec
son fidèle ami Outchj, Marzi doit faire
preuve de grande imagination pour éviter
les pièges qui lui sont tendus. La galerie
de personnages de Marzi et Outchj fait se
rencontrer deux traditions très belges : le
polar et la bédé.

9- *LA VIE D'ELVIS*
Alain Ulysse Tremblay

2008   Roman   102 pages
PDF 978-2-923603-46-9   7,99 $ / 4,99 €
ePub 978-2-89671-030-0   7,99 $ / 4,99 €
Papier 978-2-923603-08-7   10,95 $ / 7 €

Elvis est un petit gars de La Malbaie. Il a
tout fait, jusqu'à devenir fan de westerns
nocturnes avec son voisin Amérindien…
36 métiers, 36 misères ? Pas du tout ! Elvis
a eu une vie heureuse. Rien ne l'atteint.
Comme le canard, il est calme en surface,
mais pédale comme le maudit sous l'eau.

10- *KYRA*
Léo Lamarche

2008   Fantastique   72 pages
PDF 978-2-923603-47-6   7,99 $ / 4,99 €
ePub 978-2-89671-031-7   7,99 $ / 4,99 €
Papier 978-2-923603-09-4   10,95 $ / 7 €

Kyra est jeune. À peine pubère. Elle fuit
les armées du Propitator qui ont brûlé son
village, tué sa famille et emmené son père.
« Préférée » du Propitator, son ventre
éclate, elle saigne et se sauve encore.
Elle se réfugie chez les Vïwes, avant
de rejoindre les Partisans, pour qui elle
deviendra « la solution ».

11- *SPERANZA*
Laurent Chabin

2008   Roman   90 pages
PDF 978-2-923603-48-3   7,99 $ / 4,99 €
ePub 978-2-89671-032-4   7,99 $ / 4,99 €
Papier 978-2-923603-10-0   10,95 $ / 7 €

Robinson n'est pas seul sur son île. Il
y traîne encore ses chaînes d'animal
social, dont seules la peur et la démence
parviendront à le libérer. Reprenant le mythe
de Robinson, Laurent Chabin place la
seule possibilité de survie dans le retour du
naufragé à l'état sauvage, dans l'absence
de tout désir de civilisation et dans la
puissance corrosive du rêve.

12- *CYCLONE*
Dynah Psyché

2008   Roman   118 pages
PDF   978-2-923603-49-0   7,99 $ / 4,99 €
ePub   978-2-89671-033-1   7,99 $ / 4,99 €
Papier   978-2-923603-11-7   10,95 $ / 7 €

Une tempête tropicale menace la Martinique. Moïse, un père de famille, disparaît en mer. C'est dans l'angoisse et le désarroi que ses proches apprennent l'arrêt des recherches. Moïse serait mort. Et, tandis que s'approche la tempête, les masques tombent, les passions s'exacerbent, les haines se déchaînent, la tragédie se joue et la mort fauche.

13- *MÉTAREVERS*
Serge Lamothe

2009   Polar   117 pages
PDF 978-2-923603-50-6   7,99 $ / 4,99 €
ePub 978-2-89671-034-8   7,99 $ / 4,99 €
Papier 978-2-923603-12-4   10,95 $ / 7 €

Comme chaque fois qu'il croit pouvoir passer du bon temps et se détendre, Bernard Coste, dit le Gros, se trouve mêlé à une sale affaire. Mais que peuvent avoir en commun la mafia corse, les univers virtuels, le terrorisme, les transsexuelles et le saucisson sec? À priori, rien. Jusqu'à ce que le Gros se pointe…

14- *UN CHIEN DE MA CHIENNE*
Mandalian

2009   Polar   106 pages
PDF 978-2-923603-51-3   7,99 $ / 7,99 €
ePub 978-2-89671-035-5   7,99 $ / 7,99 €
Papier 978-2-923603-13-1   10,95 $ / 10 €

Il la voit : il la veut. Mené par le bout de sa queue, il l'aura bien cherchée : de Montréal à Sherbrooke en passant par la forêt profonde, il y aura un vol, un accident, une mort, des armes, de la poutine à la Banquise, beaucoup de cash… et surtout, du désir fulgurant.

15- *SYMPATHIE POUR LE DESTIN*
Alain Ulysse Tremblay

2009   Roman   142 pages
PDF 978-2-923603-52-0   7,99 $ / 4,99 €
ePub 978-2-89671-036-2   7,99 $ / 4,99 €
Papier 978-2-923603-14-8   10,95 $ / 7 €

Carl Hébert, peintre à succès, se lève un matin avec un pied horriblement enflé. À l'hôpital, tandis que la batterie de médecins n'arrive pas à trouver la raison de cette enflure, Carl en profite pour se lier d'une amitié indéfectible avec son voisin de chambre, un fumeur invétéré, comme lui, au prénom magnifique : Elvis.

16- *GINA*
Emcie Gee

2009   Roman noir   92 pages
PDF 978-2-923603-53-7   7,99 $ / 4,99 €
ePub 978-2-89671-037-9   7,99 $ / 4,99 €
Papier 978-2-923603-15-5   10,95 $ / 7 €

Hank est-il gangster ou tueur à gages ? Le Noctambule est-il le repaire qu'il semble être ? Le Balafré est-il mort ? Et Gina est-elle une simple pute dont Hank tombe amoureux en la découvrant entre les bras de tous les salauds du coin ? Est-elle la fille, oui ou non, du boss ? Mais de quel boss ?

17- *TOUJOURS VERT*
Jean-François Poupart

2009   Polar   109 pages
PDF 978-2-923603-54-4   7,99 $ / 7,99 €
ePub 978-2-89671-038-6   7,99 $ / 7,99 €
Papier 978-2-923603-16-2   10,95 $ / 10 €

En 2018, les icônes du rock qui n'ont pas encore succombé à leurs années de *sex, drugs and rock n'roll* sont des vieillards. Leur maison de retraite : Evergreen, une *gated community* du sud de la Floride, ultime rempart de l'éternelle jeunesse et du faux-semblant. Une brèche s'ouvre, le maquillage coule et nous révèle le plus sombre visage du rêve américain.

18- *SUR LES RIVES*
Michel Vézina

2009   Polar noir   139 pages
PDF 978-2-923603-55-1   10,99 $ / 7,99 €
ePub 978-2-89671-039-3   10,99 $ / 7,99 €
Papier 978-2-923603-17-9   14,95 $ / 10 €

D'abord un meurtre. Une femme. Retrouvée sur une plage, déchiquetée. Près de Rimouski. Puis un homme, assassiné de plusieurs balles dans le bas du corps, comme on dit au hockey. Et un meurtrier, qui boucle la boucle avec une balle dans la bouche. Mais encore, d'autres meurtres, tous semblables, avant, après, pendant... Une histoire impossible.

19- *MORLANTE*
Stéphane Dompierre

2009   Roman d'aventures   154 pages
PDF 978-2-923603-56-8   10,99 $ / 7,99 €
ePub 978-2-89671-017-1   10,99 $ / 7,99 €
Papier 978-2-923603-18-6   14,95 $ / 10 €

1701. Dans la cale d'un bateau anglais, Morlante poursuit sa carrière d'écrivain. Quand le bateau est la cible de pirates ou d'une armée ennemie, il range sa plume, sort ses machettes et rentre dans le tas. On ne marque pas son époque en écrivant des livres, mais en tranchant des gorges.

20- *MAUDITS!*
Edouard H. Bond

2009   Roman d'épouvante   141 pages
PDF 978-2-923603-61-2   10,99 $ / 7,99 €
ePub 978-2-89671-041-6   10,99 $ / 7,99 €
Papier 978-2-923603-24-7   14,95 $ / 10 €

Sergio est armé d'une machette, d'un harpon et d'une haine profonde de l'humanité. Ça tombe bien, une bande d'ados en limousine croise son chemin en s'en allant à l'après-bal. Ils sont saouls, stones, gonflés de poutine et de désir. *Maudits!* , c'est la légende du croque-mitaine avec des *stock-shots* cruels volés à la réalité. *Maudits!,* un roman qui sème la terreur.

21- *LUNA PARK*
Laurent Chabin

2009   Roman   114 pages
PDF 978-2-923603-57-5   10,99 $ / 7,99 €
ePub 978-2-89671-042-3   10,99 $ / 7,99 €
Papier 978-2-923603-20-9   14,95 $ / 10 €

Élise et Jappy, les héros d'*Élise*, reviennent à la charge, mais cette fois-ci sous la plume corrosive de Laurent Chabin. *Luna Park,* c'est la voix d'une sorte de Big Brother enfermé devant ses caméras de surveillance. Quand Élise et Jappy débarquent avec leur fils, le narrateur pressent le pire. Et il a raison. *Luna Park* est un roman magnifiquement dystopique.

22- *MACADAM BLUES*
Léo Lamarche

2009   Roman noir   115 pages
PDF 978-2-923603-59-9   10,99 $ / 7,99 €
ePub 978-2-89671-043-0   10,99 $ / 7,99 €
Papier 978-2-923603-22-3   14,95 $ / 10 €

Tu entres dans un roman noir, un slam couleur cafard – un « macadam movie », si tu préfères. C'est l'histoire déglinguée d'un mec égaré dans Paname. Il n'a pas d'espoir, car l'espoir, c'est trop cher dans un monde où le fric et la dope mènent la ronde. Et il tente de survivre, happé par le courant, roulé vers les abysses où l'attendent ses démons.

23- *LE PROTOCOLE RESTON*
Mathieu Fortin

2009   Roman d'horreur   124 pages
PDF 978-2-923603-60-5   10,99 $ / 7,99 €
ePub 978-2-89671-044-7   10,99 $ / 7,99 €
Papier 978-2-923603-23-0   14,95 $ / 10 €

Un monstre est capturé en Asie. S'agit-il d'un mutant ou d'une créature dont on n'a encore jamais soupçonné l'existence ? Trois-Rivières est assiégée. Victor et Julien tentent d'échapper au fléau, mais les hommes et les femmes dont le monstre s'abreuve deviennent eux aussi des monstres assoiffés de sang.

24- *PARADIS, CLEF EN MAIN*
Nelly Arcan

2009 Roman 216 pages
PDF 978-2-923603-58-2 12,99 $ / 9,99 €
ePub 978-2-89671-018-8 12,99 $ / 9,99 €
Papier 978-2-923603-21-6 17,95 $ / 13 €

Une obscure compagnie organise le suicide
de ses clients. Une seule condition leur
est imposée : que leur désir de mourir
soit incurable. Pur, absolu. Antoinette a
été une candidate de *Paradis, Clef en
main*. Elle n'en est pas morte. Désormais
paraplégique, elle est branchée à une
machine qui lui pompe ses substances
organiques. Et Antoinette nous raconte
sa vie.

25- *ZOÉLIE DU SAINT-ESPRIT*
Dynah Psyché

2010 Roman 116 pages
PDF 978-2-923603-62-9 10,99 $ / 7,99 €
ePub 978-2-89671-045-4 10,99 $ / 7,99 €
Papier 978-2-923603-25-4 14,95 $ / 10 €

Tout commence par le récit de ceux qui
ne l'aiment pas et ont eu à subir les pires
catastrophes. Sont-ils paranoïaques, ou
Zoélie est-elle vraiment une sorcière ?
Puis vient l'étrange litanie des ancêtres,
longue lignée de « femmes debout » qui ont
transmis la malédiction de génération en
génération ; et celle des victimes, brisées,
mutilées, vidées de leur sang.

26- *EN-D'SOUS*
Sunny Duval

2010 Roman 152 pages
PDF 978-2-923603-64-3 10,99 $ / 7,99 €
ePub 978-2-89671-046-1 10,99 $ / 7,99 €
Papier 978-2-923603-27-8 14,95 $ / 10 €

Sunny Duval joue de la guitare et aime
les choses simples. Dans *En-d'sous*, il
parle de rock, mais aussi d'une ville et de
ses dessous, de ceux qu'on dirait qu'elle
garde un peu secrets. Dans *En-d'sous*, il
y a cette folie saine et ordinaire des gens
aux sourires sublimes, il y a la richesse du
temps et des désirs, le luxe de faire ce qu'on
veut, quand on le veut.

27- *MARZI À MARZI*
Pascal Leclercq

2010   Polar   136 pages
PDF 978-2-923603-63-6   10,99 $ / 7,99 €
ePub 978-2-89671-047-8   10,99 $ / 7,99 €
Papier 978-2-923603-26-1   14,95 $ / 10 €

Marzi n'en peut plus. D'abord, il y a les affaires, toujours de plus en plus compliquées, toujours plus difficiles à gérer, et puis il y a les amours, toujours difficiles, toujours compliquées. Alors Marzi décide de partir à la recherche de ses origines : direction Marzi, petit village du sud de l'Italie ! Mais notre homme ne l'aura pas facile.

28- *LA PHALANGE DES AVALANCHES*
Benoît Bouthillette

2010   Science-fiction   168 pages
PDF 978-2-923603-65-0   10,99 $ / 7,99 €
ePub 978-2-89671-048-5   10,99 $ / 7,99 €
Papier 978-2-923603-28-5   14,95 $ / 10 €

Un nouvel épisode de *La série Élise*. À la fin de *Luna Park* (Laurent Chabin), Élise et Japy ont mené à terme leur mission… Faut maintenant rentrer sur Terre. Mais Élise a d'autres projets pour Kassad, Lison et Japy. Même si leur passage sur la Lune ne fera pas que des heureux, les jours qui suivent risquent d'être fertiles en émotions brutes.

29- *LE CORPS DE LA DENEUVE*
Maxime Catellier

2010   Roman   120 pages
PDF 978-2-923603-66-7   10,99 $ / 7,99 €
ePub 978-2-89671-049-2   10,99 $ / 7,99 €
Papier 978-2-923603-29-2   14,95 $ / 10 €

Le Corps de La Deneuve est une supercherie littéraire consistant à ébranler le lecteur jusque dans ses plus intimes convictions. On y rencontrera des personnages invraisemblables dont Renard d'Omble, Hansel von Krieg, Prince d'Alvéole, le Docteur, les Frères Collier, le Douanier et aussi une femme qui se promène dans Paris avec une hirondelle sur son sein droit.

30- *TOI ET MOI, IT'S COMPLICATED*
Dominic Bellavance

2010   Roman   128 pages
PDF 978-2-923603-72-8   10,99 $ / 7,99 €
ePub 978-2-89671-050-8   10,99 $ / 7,99 €
Papier 978-2-923603-37-7   14,95 $ / 10 €

Véronique est jalouse et Daniel ne sait pas comment lui annoncer qu'«il casse». Anne-Sophie fait des photos dans un party d'étudiants, où Daniel était tellement saoul qu'il se souvient à peine d'avoir frenché avec Vickie, la grande chum de Sara qui, elle, est amoureuse de Steeve, qui, lui, a eu une aventure avec Anne-Sophie pendant le même party, Anne-Sophie, qui, elle...

31- *BIG WILL*
Alain Ulysse Tremblay

2010   Roman   184 pages
PDF 978-2-923603-71-1   12,99 $ / 8,99 €
ePub 978-2-89671-051-5   12,99 $ / 8,99 €
Papier 978-2-923603-34-6   16,95 $ / 12 €

Big Will, c'est l'histoire d'un géant du Nord hanté par ses morts : son oncle, son cousin et sa mère, et puis Olsen et les pirates du Sud, et puis tout un paquet d'autres qui le poursuivent et dont les yeux de braises illuminent ses nuits blanches.
Big Will raconte l'histoire d'une fugue trop longue, l'histoire d'un homme et de ses péchés, l'histoire d'un peuple et d'un pays...

32- *L'HUMAIN DE TROP*
Dominique Nantel

2010   Science-fiction   104 pages
PDF 978-2-923603-67-4   10,99 $ / 7,99 €
ePub 978-2-89671-052-2   10,99 $ / 7,99 €
Papier 978-2-923603-30-8   14,95 $ / 10 €

Fasciola n'a pas le droit d'exister. Un enfant par famille, c'est tout. Sa mère, Sarah, a caché sa fille jusqu'à ce que des voisines jalouses menacent de la dénoncer. La frêle Fasciola s'enfuit et se rend à Cité-Sur-Mer, la ville flottante et houleuse où les morts engraissent les poissons qui eux engraissent les pélicans qui eux engraissent...

33- *LE SERRURIER*
Mathieu Fortin

2010   Roman   136 pages
PDF 978-2-923603-74-2   10,99 $ / 7,99 €
ePub 978-2-89671-053-9   10,99 $ / 7,99 €
Papier 978-2-923603-73-5   14,95 $ / 11 €

Liés par les clés et les serrures du désir et de l'amour, Vincent et Rachel, dans le manoir Da Silva de Trois-Rivières en 2006, ainsi que Fernando et Emilia, à la forge Caprotti à Firenze en 1706, devront tenter de contrôler leurs pulsions pour que leur quête de sexe et d'amour ne les mène à leur perte.

34- *LES CHEMINS DE MOINDRE RÉSISTANCE*
Guillaume Lebeau

2010   Roman   320 pages
PDF 978-2-923603-68-1   14,99 $ / 10,99 €
ePub 978-2-89671-054-6   14,99 $ / 10,99 €
Papier 978-2-923603-31-5   19,95 $ / 14,5 €

Il y a un écrivain qui veut garder secrète son identité et qui ne tolère aucune intervention de quiconque sur ses manuscrits… Il y a ses éditeurs, prêts à tout pour vendre le plus possible de ses livres… Il y a un enfant atteint d'une variété rare de leucémie et qui veut rencontrer son écrivain préféré. Coûte que coûte.

35- *ZONES 5*
Michel Vézina

2010   Roman d'aventures   228 pages
PDF 978-2-923603-70-4   12,99 $ / 9,99 €
ePub 978-2-89671-055-3   12,99 $ / 9,99 €
Papier 978-2-923603-33-9   17,95 $ / 13 €

Michel Vézina replonge sa plume dans l'encre de *La Série Élise*. Jappy, Élise et leurs amis squattent toujours Blanc-Sablon. Non seulement y mènent-ils leurs affaires illicites, mais en se mettant en lien avec d'autres villages squattés, ils créent autant de Zones autonomes temporaires. Un nouvel âge d'or de la piraterie est-il né ?

36- *OTCHI TCHORNYA*
Mikhaïl W. Ramseier

2010   Roman   550 pages
PDF 978-2-923603-88-9   18,99 $ / 11,99 €
ePub 978-2-89671-056-0   18,99 $ / 11,99 €
Papier 978-2-923603-87-2   24,95 $ / 16,5 €

Zénobe trouve une femme morte dans la salle de bain de son logis parisien. Or cette femme habitait clandestinement dans son appartement. Il trouve ensuite un enfant, la fille de la morte. Que faire de cette fillette qui ne possède aucun papier français ? S'engage alors un périple qui évoluera de la France aux portes de la Sibérie, en passant par Saint-Pétersbourg.

37- *COMMENT APPELER ET CHASSER L'ORIGNAL*
Sylvain Houde

2010   Polar   320 pages
PDF 978-2-923603-80-3   14,99 $ / 10,99 €
ePub 978-2-89671-057-7   14,99 $ / 10,99 €
Papier 978-2-923603-79-7   19,95 $ / 14,95 €

L'Organisation Révolutionnaire d'Intervention Guerrière de Nuisance Anticapitaliste Libertaire (l'ORIGNAL) fait exploser des véhicules utilitaires sport dans les parkings des centres commerciaux du Québec. Simon Brisebois, journaliste chez Polar Police, est assigné à l'affaire. Son boss, le rédac-chef, veut du sang et de la nouvelle qui pète.

38- *PARK EXTENSION*
Laurent Chabin

2010   Science-fiction   176 pages
PDF 978-2-923603-76-6   12,99 $ / 8,99 €
ePub 978-2-89671-058-4   12,99 $ / 8,99 €
Papier 978-2-923603-75-9   16,95 $ / 12,50 €

Shade, la narratrice, une tueuse impitoyable, ne pourra que s'avouer vaincue face à l'impossibilité de changer le monde. La vengeance est peut-être un plat qui se mange froid, mais il se mijote dans le sang chaud, le sperme tiède et les larmes brûlantes... Après *Élise, Luna Park, La phalange des avalanches et Zones 5, Park extension* est le numéro cinq de *La série Élise.*

39- *CONTRE DIEU*
Patrick Senécal

2010   Suspense   128 pages
PDF 978-2-923603-84-1   10,99 $ / 7,99 €
ePub 978-2-89671-016-4   10,99 $ / 7,99 €
Papier 978-2-923603-83-4   14,95 $ / 11 €

Que se passe-t-il dans la tête d'un homme lorsqu'il perd, tout d'un coup, toutes ses raisons de vivre? Quand tout ce qu'il a construit s'effondre? Que se passe-t-il quand on ne comprend pas pourquoi le sort s'acharne sur nous? Qu'est-ce qui nous retient, maintenant que tout est fini, qu'on n'a plus rien, de ne pas devenir monstrueux?

40- *PANDÉMONIUM CITÉ*
David Bergeron

2011   Fantastique noir   144 pages
PDF 978-2-923603-94-0   10,99 $ / 7,99 €
ePub 978-2-89671-059-1   10,99 $ / 7,99 €
Papier 978-2-923603-93-3   14,95 $ / 11 €

Avec son ami Vlad, un rescapé de la guerre des Balkans, Philippe se retrouve au cœur d'une conspiration sataniste. Des chèvres seront sacrifiées et des hommes feront renaître d'anciens dieux disparus. Philippe et Vlad risqueront leur vie pour empêcher les conspirateurs de réaliser leur projet. Ils ne savent pas encore que c'est l'enfer qui les attend.

41- *LA GRANDE MORILLE*
Pascal Leclercq

2011   Polar   168 pages
PDF 978-2-923603-90-2   12,99 $ / 8,99 €
ePub 978-2-89671-060-7   12,99 $ / 8,99 €
Papier 978-2-923603-89-6   16,95 $ / 12,50 €

Après *Marzi et Outchj* et *Marzi à Marzi,* Pascal Leclercq nous propose un nouvelle épisode des aventures de Marzi. *La grande morille,* une aventure abracadabrante où sexe, drogues, meurtres, poursuites et magouilles monumentales s'enchaînent à un rythme désopilant. *La grande morille,* une grande chasse aux champignongnons!

42- *L'OGRESSE*
Dynah Psyché

2011   Roman   132 pages
PDF 978-2-923603-96-4   10,99 $ / 7,99 €
ePub 978-2-89671-061-4   10,99 $ / 7,99 €
Papier 978-2-923603-95-7   14,95 $ / 11 €

« La tuerie m'ennuie, quand il y a du jus.
Ça crie et ça salit. Il y en a partout, quand
le manger se débat… » L'ogresse unit dans
une même chair tous les instincts primaires,
ceux des commencements et ceux de la fin.
« L'ogritude totale dans une sexualité non
moins totale ! »

43- *LES PORTES DE L'OMBRE*
Gilles Vidal

2011   Thriller   280 pages
PDF 978-2-923603-98-8   12,99 $ / 9,99 €
ePub 978-2-89671-062-1   12,99 $ / 9,99 €
Papier 978-2-923603-97-1   17,95 $ / 13 €

Suicides radicaux et spectaculaires, morts
accidentelles inconcevables, Chanelet
l'océane se trouve percutée de plein fouet
par une étrange « épidémie » qui frappe
ceux dont l'âme est noire, ceux qui sont
dépourvus de la moindre trace de charité,
ceux dont les penchants sont les plus
tordus.

44- *LES JARDINS NAISSENT*
Jean-Euphèle Milcé

2011   Roman   136 pages
PDF 978-2-89671-007-2   10,99 $ / 7,99 €
ePub 978-2-89671-063-8   10,99 $ / 7,99 €
Papier 978-2-89671-006-5   14,95 $ / 11 €

Nous sommes à Port-au-Prince. Après
le *Goudougoudou* du 12 janvier 2010,
Daniel, un Haïtien, repère Marianne, une
jeune Française au service de la Croix-
Rouge. Il l'invite dans le bas de la ville
pour lui montrer que, parmi les décombres,
la population s'organise. Le projet :
l'ensemencement des terrains déblayés, là
où personne ne reconstruit encore.

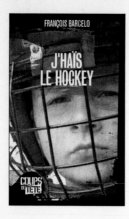

45- *J'HAÏS LE HOCKEY*
François Barcelo

2011   Roman noir   128 pages
PDF 978-2-89671-001-0   10,99 $ / 7,99 €
ePub 978-2-89671-064-5   10,99 $ / 7,99 €
Papier 978-2-89671-000-3   14,95 $ / 11 €

Antoine Vachon haït le hockey. À la suite de l'assassinat du coach de l'équipe de hockey de son fils, Antoine se voit pourtant contraint de le remplacer à pied levé, sans savoir alors que sa vie va changer. Le flou persiste. Qui a assassiné le coach ? Et surtout, pourquoi ? Le fils d'Antoine aurait-il quelque chose à voir dans tout cela ? L'entraîneur était pourtant connu et apprécié dans sa communauté, il s'occupait bien de ses joueurs, trop bien peut-être…

46- *ROMAN-RÉALITÉ*
Dominic Bellavance

2011   Roman   312 pages
PDF 978-2-923603-92-6   14,99 $ / 10,99 €
ePub 978-2-89671-019-5   14,99 $ / 10,99 €
Papier 978-2-923603-91-9   19,95 $ / 14,50 €

Quatre jeunes auteurs sont sélectionnés pour participer à la première expérience de roman-réalité. Ils devront s'isoler pendant deux semaines dans un chalet situé dans Charlevoix et rédiger de courts textes, pour nous raconter leur journée dans les moindres détails. Tout ceci pourrait paraître des plus reposant, mais le directeur du projet veut de l'action. Et si les auteurs n'en créent pas, il fera tout pour en trouver… Bienvenue dans le monde de Roman-réalité !

47- *LE PRISONNIER (La série Élise 6)*
Laurent Chabin

2011   Roman   210 pages
PDF 978-2-89671-020-1   12,99 $ / 9,99 €
ePub 978-2-89671-009-6   12,99 $ / 9,99 €
Papier 978-2-89671-008-9   17,95 $ / 13 €

Un cadre supérieur obsédé par l'énigme que pose l'existence d'un atroce pénitencier cherche à en découvrir la clé. Sa fascination le conduira jusqu'aux portes de Luna Park, qu'il franchira sans espoir de retour. Alors seulement il comprendra, dans sa chair même, en quoi consiste la prison de l'enfer… *Le prisonnier* est le tome 6 de la série Élise, une saga d'anticipation politique qui effraie par ses allures de récit prémonitoire.

48- *LES ÉCUREUILS SONT DES SANS-ABRI*
Simon Girard

2011   Roman   200 pages
PDF 978-2-89671-021-8 12,99 $ / 8,99 €
ePub 978-2-89671-011-9 12,99 $ / 8,99 €
Papier 978-2-89671-010-2 16,95 $ / 12,50 €

Il vend des sandwichs dans les bars.
Il rencontre des filles. Il va souvent en
Gaspésie. Il loue son corps à l'industrie
pharmaceutique. Il observe les écureuils
dans les parcs de Montréal. Il boit trop de
bière et dort trop peu. Et il écrit. Il ne veut
plus rien faire d'autre qu'écrire. Il a des
idées et il leur fait passer le test de la réalité.
Il écrit le choc entre ses idées et la réalité.

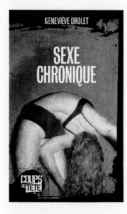

49- *SEXE CHRONIQUE*
Geneviève Drolet

2011   Roman   344 pages
PDF 978-2-89671-015-7   14,99 $ / 10,99 €
ePub 978-2-89671-068-3   14,99 $ / 10,99 €
Papier 978-2-89671-014-0   19,95 $ / 14,50 €

Sexe chronique, c'est la recherche de
l'infini propre au cirque, c'est l'inconstance
d'une union belle et obscène à la fois.
C'est le sexe, cette maladie chronique qui
lie, sépare, collisionne les êtres, avec ses
relents d'amours factices et ses promesses
capricieuses. C'est une quête d'amour, de
soi, des autres, de lui…

Sexe chronique, un regard sur le monde
du cirque tel que vous n'avez jamais osé
l'imaginer.

50- *NIGRIDA*
Mikhaïl W. Ramseier

2011   Roman   482 pages
PDF 978-2-89671-013-3   15,99 $ / 11,99 €
ePub 978-2-89671-067-6   15,99 $ / 11,99 €
Papier 978-289671-012-6   21,95 $ / 15,50 €

Edmond a un secret. Que cache-t-il au
cœur de cette paperasse? Un trésor
pirate enfoui? Un amour caché? Un crime
inavouable? Une histoire de sorcellerie et
de magie noire? Hippolyte, Norge et Thierry
partiront à l'aventure pour découvrir la clef
du mystère. Ce qu'ils trouveront dépassera
largement leurs attentes…

Mikhaïl W. Ramseier nous propose une
intrigue aux relents de parcours initiatique,
avec, entre les lignes, une quête spirituelle
à décrypter.

51- *LE CORPS DES FEMMES EST UN CHAMP DE BATAILLE*
Laurent Chabin

2012   Polar   240 pages
PDF 978-2-89671-074-4   12,99 $ / 9,99 €
ePub 978-2-89671-075-1   12,99 $ / 9,99 €
Papier 978-2-89671-070-6   17,95 $ / 13 €

Un écrivain américain est exécuté dans une prison du Missouri pour le meurtre d'un écrivain canadien et de son épouse. Une étudiante en littérature tente de comprendre ce double meurtre. Plus elle remonte la piste, plus le mystère devient épais, opaque. Des ombres planent sur ces écrivains et certains de leurs contemporains. Tous finissent par devenir suspects aux yeux de la sémillante étudiante.

52- *NOIR KASSAD (La série Élise 7)*
Alain Ulysse Tremblay

2012   Anticipation   184 pages
PDF 978-2-89671-005-8   12,99 $ / 8,99 €
ePub 978-2-89671-066-9   12,99 $ / 8,99 €
Papier 978-2-89671-004-1   16,95 $ / 12,50 €

La Série Élise se poursuit dans le Nord mythique et grandiose.
C'est de ce Nord mythique, peuplé par les esprits des ancêtres Innus et de l'essence des animaux, que monte l'ultime tentative de Kassad pour amorcer la fin technologique du monde. Quel endroit magnifique pour un enfant aveugle, comme Kassad, pour contempler dans toute sa splendeur la bêtise humaine.
Notre monde, tel que nous ne voudrions jamais qu'il devienne…

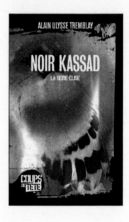